ZARBI !

L'encyclopédie des animaux
les plus bizarres

CHARLINE ZEITOUN

ZARBI !

L'encyclopédie des animaux les plus bizarres

MANGO *JEUNESSE*

Remerciements à Martine Desoutter, maître de conférence
au Muséum National d'Histoire Naturelle, pour sa relecture attentive.

Merci à Maryline et Peggy de l'agence Sunset
et à Élodie et Magali de l'agence Hoaqui pour leur collaboration.

Maquette : Studio Mango

SOMMAIRE

Le diodon

Pour se transformer en oursin géant, il lui suffit d'ouvrir la bouche. Il porte alors une armure indestructible, digne des chevaliers du Moyen Âge !

Au repos, le diodon ne paye pas de mine. Son corps est plutôt allongé, tout ce qu'il y a de plus ordinaire pour un poisson. Il semble donc le casse-croûte idéal pour un gros squale, convaincu de pouvoir n'en faire qu'une bouchée. Mais le petit n'est pas du tout prêt à se laisser faire…Dès qu'il se sent menacé, il se met systématiquement à boire. Grâce au sac extensible de son ventre, il avale en quelques instants une très grande quantité d'eau. Résultat : il se gonfle comme un ballon de foot ! Sa peau se tend et tire sur les épines qui couvrent son corps, le long des flancs. Elles se dressent alors comme des dards ! En voyant cette armure piquante, les prédateurs hésitent à l'avaler tout cru… De toute façon, la plupart d'entre eux n'ont pas la mâchoire assez grande, vu que le petit poisson est ainsi devenu cinq fois plus gros ! Ceux qui s'y risquent, comme le requin-tigre, en seront pour leurs frais : une fois gobée, la boule hérissée fait barrage et empêche le gros vorace d'avaler sa ration d'eau. Et sans eau, pas d'oxygène non plus, puisque ce gaz vital est dissout dedans. Comment respirer, alors ? Qui s'y frotte s'y pique, le requin glouton finit par s'étouffer… Gonflé, comme tactique de défense ! Seul inconvénient : avec cette encombrante armure, le diodon nage vraiment comme une clé à molette et se fait souvent prendre dans les filets des pêcheurs.

NOM SAVANT
Diodon (ce genre regroupe quelques espèces voisines).

SURNOM
Poisson porc-épic.

ADRESSE
Les eaux tropicales, partout dans le monde, du moment qu'on ne s'y gèle pas trop les nageoires.

TAILLE
20 à 80 cm selon les espèces.

CATÉGORIES
Vertébrés, poissons osseux.

SIGNE DISTINCTIF
Se gonfle comme un ballon de foot en cas de danger.

SITUATION DE FAMILLE
Solitaire (sauf pour la reproduction).

MENU
Oursins, bernard-l'ermite, coquillages et crustacés dont il casse les coquilles avec ses dents. Il préfère chasser et manger la nuit.

HOBBY
Se cacher toute la journée dans les trous des récifs coralliens et des rochers.

REPRODUCTION
Fécondation externe. Plusieurs mâles entourent une femelle qui se met à pondre. Ils déposent ensuite leur sperme sur les œufs pour les féconder.

BLOC-NOTES

● Mon corps peut se gonfler d'eau. Il est alors cinq fois plus volumineux qu'en temps normal !

● Mes épines se dressent comme des dards quand je me gonfle. Leur piqûre est très douloureuse et parfois venimeuse.

● Mes dents sont capables de broyer les roches et les coquillages (et aussi de couper tout net un doigt !).

● Mes gros yeux globuleux sont indépendants : pendant que l'un admire le corail à gauche, l'autre peut surveiller ce qui se passe à droite.

Le douroucouli

Perché sur son arbre, les oreilles pointues et les yeux en boules de loto, il ressemble plus à une chouette qu'à un singe ! Il y a une très bonne raison à cela...

Le douroucouli n'est pas un singe ordinaire. Quand ses cousins s'agitent en poussant des cris de macaques, il dort comme une bûche dans le creux d'un arbre. Il passe ensuite la nuit à se balader de branche en branche. Avec ses énormes yeux aux pupilles dilatées, il parvient à repérer des fruits et à capturer des insectes dans une pénombre où d'autres ne verraient pas le bout de leurs mains. Chacun gobe ses fruits, discrètement dans son coin, et le silence règne. Mais, les soirs de pleine lune, c'est la java ! Les mâles célibataires ululent comme des chouettes pour attirer les femelles ! Pourquoi uniquement ces nuits-là ? Pour y voir un peu plus clair, pardi ! Sinon, un mâle devrait s'engager avec la première venue, dans une relation stable et fidèle, sans pouvoir bien la regarder : un peu rude, tout de même ! Bizarrement, les ancêtres de ces petits singes vivaient sans doute le jour, comme les autres. Alors, pourquoi sont-ils devenus nocturnes ?

D'abord pour éviter les mauvaises rencontres avec les aigles. Car ces grands emplumés passent la journée à chercher des petits singes à avaler. Ensuite, parce que les sapajous, des singes plus forts, se régalent eux aussi de fruits. Pour trouver de quoi manger, sans se faire racketter par les grands, le petit douroucouli a sans doute décidé de ne sortir que la nuit. Une fois que tout le monde dort !

BLOC-NOTES

● Mes pupilles s'ouvrent largement pour laisser rentrer le maximum de lumière dans mes énormes yeux. Du coup, un clair de lune me suffit pour bien voir la nuit.

● Mes pattes agiles me permettent de faire, malgré ma petite taille, des bonds spectaculaires de près de cinq mètres.

● Ma bouche possède des sacs vocaux qui font caisse de résonance quand je pousse mes ululements les nuits de pleine lune.

● Mon visage est sérieux. Je laisse les grimaces à ceux qui vivent et se battent le jour. Car montrer les dents pour effrayer l'autre n'a aucun intérêt s'il fait noir...

NOM SAVANT
Aotus lemurinus.

SURNOM
Douroucouli ou singe-hibou.

ADRESSE
Les arbres creux des forêts tropicales en Amérique centrale et en Amérique du Sud.

TAILLE
30 à 45 cm (et autant pour la queue).

CATÉGORIES
Vertébrés, mammifères, primates (singe).

SIGNE DISTINCTIF
Enchaîne les nuits blanches, les yeux ouverts comme des soucoupes.

SITUATION DE FAMILLE
En couple. Ils ont un à trois petits qu'ils élèvent jusqu'à l'âge de deux ou trois ans C'est l'un des rares singes fidèles. Chez les autres espèces, le mâle est entouré d'un harem.

MENU
Fruits, feuilles et insectes, parfois des œufs et des petits lézards.

HOBBY
Ululer au clair de lune.

REPRODUCTION
Fécondation interne par accouplement. La femelle porte le petit dans son ventre et l'allaite, comme chez les humains.

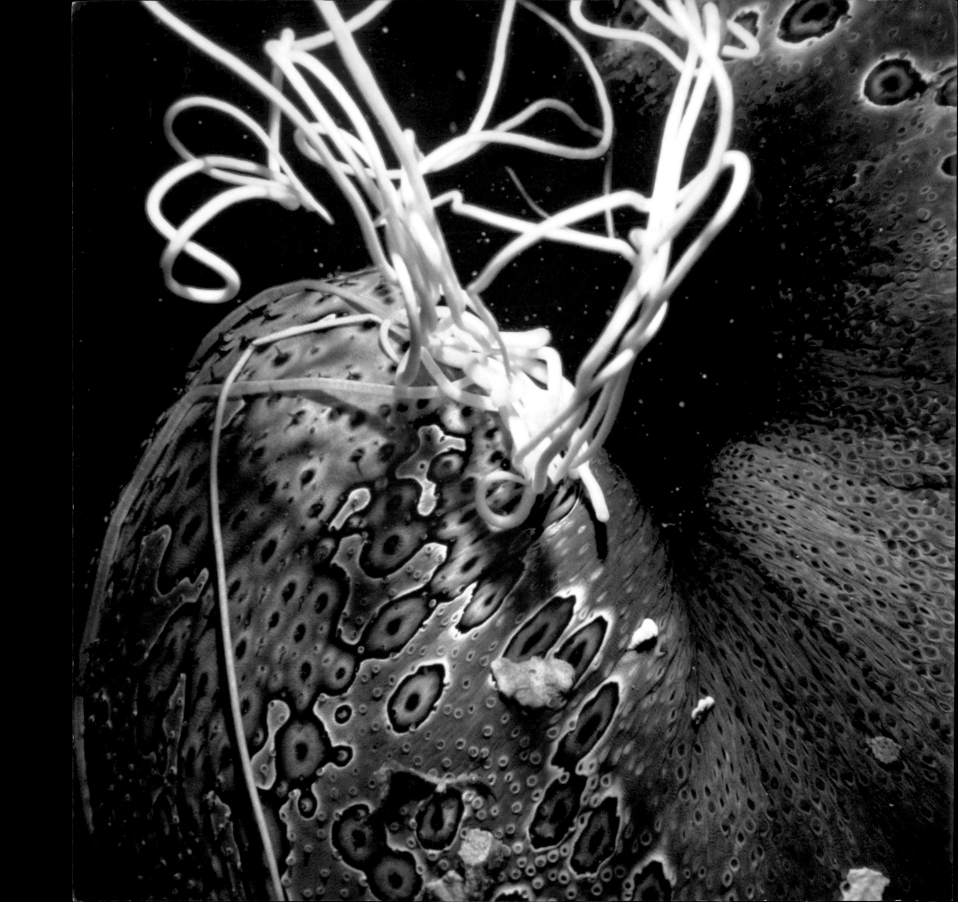

Le concombre de mer

Voilà une bonne giclée blanchâtre ! Ce drôle d'animal, lointain cousin des étoiles de mer, se défend en jetant d'abominables filaments visqueux ! Ou même pire...

Il n'a pas de bras, pas de nageoires, pas d'épines ni de griffes, pas de queue ni de dents, absolument aucun œil : le concombre de mer ressemble effectivement à un légume posé au fond de l'océan. Son corps se résume à un gros boudin avec deux trous, une bouche d'un côté et un anus de l'autre. Ce dernier est d'ailleurs sa seule arme de défense. C'est par là que, de peur, il balance de longs filaments gluants à la figure de son agresseur qui s'y empêtrera lamentablement. Certaines espèces expulsent même leurs intestins ! Heureusement, il ne faut que quelques semaines à ses précieux organes digestifs pour se régénérer. Le concombre peut alors continuer tranquillement à avaler du sable riche en microalgues et en bactéries dont il se nourrit. Certains possèdent, près de la bouche, des tentacules collants pour attraper au vol de succulents détritus en suspension dans l'eau. Puis ils avalent leur récolte en introduisant régulièrement ces tentacules dans leur bouche, comme un enfant qui se lèche les doigts ! Beurk ! Mais, en ingurgitant tous ces déchets, ce gros froussard vautré au fond de l'océan joue en vérité un rôle capital : éboueur des fonds marins.

Vraiment bizarre...

L'aurin est un petit poisson qui habite dans le corps du concombre de mer ! Il rentre par l'anus de l'animal et n'en sort que la nuit pour chercher de la nourriture. Parfois, il ne se donne même pas cette peine et préfère grignoter le concombre de l'intérieur !

BLOC-NOTES

● Mes tentacules collants attrapent au vol tous les petits détritus qui passent. Je m'en régale !

● Mon anus expulse de longs filaments gluants parfois toxiques, en cas de danger. Certains de mes cousins rejettent carrément leurs propres intestins !

● Mes pieds-ventouses me sont très utiles pour me déplacer. Mes congénères qui n'en ont pas doivent contracter leur corps tout mou pour espérer bouger de quelques centimètres.

NOM SAVANT
Holothurides (cette classe regroupe 1500 espèces).

SURNOM
Concombre de mer.

ADRESSE
Mers et océans du monde entier, près des fonds marins ou dans le sable.

TAILLE
De 3 cm à 2 m de long selon les espèces.

CATÉGORIES
Échinodermes (comme les étoiles de mer et les oursins), *holothurides*.

SIGNE DISTINCTIF
Expulse ses intestins à la moindre peur.

SITUATION DE FAMILLE
Solitaire.

MENU
Tous les détritus, microalgues et bactéries qui traînent.

HOBBY
Se laisser flotter entre deux eaux ou rester vautré dans la vase.

REPRODUCTION
Fécondation externe. Le mâle émet son sperme dans l'eau. Au petit bonheur la chance, il rencontre l'œuf qu'une femelle à proximité a elle aussi éjecté.

Le ouakari rouge

Aurait-il oublié sa crème solaire indice 45 ? Avec son visage cramoisi, ce singe prête vraiment à sourire, non ? Pourtant, il y a de quoi s'inquiéter pour lui...

Il a le visage nu, sans poils, rouge vif jusqu'aux oreilles ! Ce singe est certainement l'une des créatures les plus étranges qu'on puisse rencontrer dans la forêt amazonienne. Imaginez : vous vous retournez et vous vous retrouvez nez à nez avec lui : gloups ! C'est le directeur de l'école revenu de vacances avec un méga coup de soleil ? Et perplexe sur vos résultats du trimestre ? Non, bien sûr ! Mais il faut avouer que le front dégarni est bien imité ! En réalité, il n'y a pas vraiment de quoi rire... Ce singe de taille moyenne ne demande qu'à mener une petite vie bien tranquille. Il voudrait continuer à passer ses journées dans les arbres, rester pendu par les mains et surtout par les pieds, dans sa position favorite, celle qui laisse les mains libres pour cueillir les fruits. Et, bien sûr, vivre encore de bons moments, à chercher les poux de ses camarades, dans le cou et les jambes, là où ça gratte vraiment trop. Histoire de se montrer comme on

s'apprécie, entre singes rouges. Mais la vie n'est pas toujours rose. Et si les petits ouakaris, insouciants, passent leur temps à jouer et à sauter, les adultes, eux, ont vraiment de quoi se faire des cheveux blancs... Car les forêts humides amazoniennes où ils habitent sont en train de rétrécir à toute vitesse. À grands coups de tronçonneuse. Et ce singe, aujourd'hui très rare, risque de disparaître très bientôt de la surface de la Terre...

BLOC-NOTES

● Mon visage rouge vif et mon front dégarni me donnent parfois l'allure d'un homme furieux ! Et si j'ai peur ou si je suis ému, je deviens encore plus cramoisi !

● Mon pelage est long et soyeux. J'ai un magnifique manteau orangé, mais d'autres ouakaris en ont un gris argenté, doré ou même blanc.

● Ma queue est courte et touffue, alors que tous les autres singes d'Amérique du Sud en ont une beaucoup plus longue.

● Mes grandes canines me permettent de briser l'enveloppe dure de certains fruits. Je les montre aussi pour intimider mes ennemis.

Attention !
Le ouakari rubicond est un animal en voie de disparition !

NOM SAVANT
Cacajao calvus.
SURNOM
Ouakari rubicond ou singe chauve.
ADRESSE
La cime des arbres des forêts en partie inondées, dans de très petites régions du Brésil, du Pérou et de la Colombie, en Amérique du Sud.
TAILLE
40 à 60 cm (plus une petite queue d'environ 15 cm).
CATÉGORIES
Vertébrés, mammifères, primates (singe).
SIGNE DISTINCTIF
Un visage cramoisi.
SITUATION DE FAMILLE
Il vit en groupe mixte d'une vingtaine. Il semble que chaque femelle s'accouple avec plusieurs partenaires, de même que les mâles.
MENU
Des fruits, des feuilles, quelques insectes et quelques graines qu'il descend chercher à terre.
HOBBY
Chercher des poux à ses congénères.
REPRODUCTION
Fécondation interne par accouplement. La femelle porte le petit dans son ventre et l'allaite, comme chez les humains.

Le nasique

On peut dire qu'il n'a pas un profil facile, celui-là : il a sans doute le plus gros nez des habitants de la forêt. Ridicule ? Pas du tout ! Il plaît beaucoup aux femelles...

Quel pif ! Avec son énorme nez en forme de concombre, rien d'étonnant à ce que ce singe ait reçu le nom de « nasique ». En réalité, cette particularité nasale ne touche que les mâles adultes. À la puberté, vers leur septième année, leur joli petit nez s'allonge démesurément, jusqu'à atteindre plus de 10 cm ! Cette trompe flasque peut devenir extrêmement énervante car elle pend en permanence devant la bouche. En fait, certains nasiques ont un nez tellement gros qu'ils doivent le soulever avec la main pour arriver à manger ! Les zoologues n'ont pas d'explication précise à donner au sujet de cet appendice bizarroïde. Régulateur de température, il sert peut-être à évacuer la chaleur de leur corps en cas de coup de chaud. Ou alors, ce ne serait qu'un simple atout de séduction. Car la femelle, qui arbore un petit nez retroussé, apprécierait particulièrement la grosse trompe molle de monsieur. Il paraît qu'elle préfère souvent le mâle qui possède la plus longue ! Ce tombeur vit d'ailleurs entouré de plusieurs femelles. Jaloux comme un pou, il éjecte ses rivaux du groupe, y compris ses propres fils arrivés en âge de se reproduire. Ces derniers se résignent à vivre en bandes de célibataires. À moins de détrôner par la force le mâle dominant d'un autre groupe. Et de lui piquer son harem !

Vraiment bizarre...
En cas de colère ou de peur, son gros nez mou se gonfle et rougit ! Et pour défendre son groupe, il gronde en agitant son pénis en érection !

BLOC-NOTES

- Mon long nez flasque continue à grandir un peu pendant toute ma vie !

- Mes enfants ont le visage bleu ! En grandissant, ils retrouvent une teinte ordinaire.

- Ma bedaine est souvent gonflée. Il faut dire que les feuilles de palétuvier dont je me gave sont très difficiles à digérer et provoquent pas mal de ballonnements...

- Ma queue, aussi longue que mon corps, sert de balancier, pour garder l'équilibre, lors de mes sauts d'arbre en arbre.

- J'ai les pattes un peu palmées : mes doigts sont réunis par une sorte de peau, comme chez les canards !

NOM SAVANT
Nasalis larvatus.
SURNOM
Singe nasique.
ADRESSE
Les arbres des forêts humides, à proximité des côtes ou des rivières, uniquement sur l'île de Bornéo, en Indonésie, en Asie du Sud-Est.
TAILLE
70 cm environ (plus une queue aussi longue).
CATÉGORIES
Vertébrés, mammifères, primates (singe).
SIGNE DISTINCTIF
Long nez en forme de concombre.
SITUATION DE FAMILLE
Le mâle vit entouré d'un harem de quelques femelles avec lesquelles il a des petits.
MENU
Un régime strictement végétarien de bourgeons, de fruits et surtout de feuilles de palétuvier.
HOBBY
La natation. De toutes les espèces de singes, il est un des rares bons nageurs et plonge parfois de près de 15 m de haut !
REPRODUCTION
Fécondation interne par accouplement. La femelle porte le petit dans son ventre et l'allaite, comme chez les humains.

Le rat-taupe nu

Sur Internet, il a été élu « animal le plus grotesque du monde » ! Petit rongeur très laid, il mène aussi une vie vraiment bizarre, car il se comporte comme une fourmi.

Tout nu et tout fripé ! Le rat-taupe d'Afrique a la peau rosée et le poil rare, ce qui le fait ressembler à une véritable…« saucisse sur pattes » ! Ses énormes dents, apparemment idéales pour décapsuler les bouteilles de soda, servent en réalité de pelleteuses pour creuser des galeries souterraines. Celles-ci forment un véritable réseau, divisé en nombreux couloirs, parfois longs de plusieurs kilomètres, et qui aboutissent tous à une chambre principale. L'animal quasi aveugle passe ainsi sous terre le plus clair de son temps, vivant en colonies d'une centaine d'individus. Bizarrement, ces petits mammifères rongeurs sont organisés comme des insectes. D'abord, ils travaillent en groupe : le premier creuse avec ses dents et, derrière, les autres déblaient la terre avec leurs pattes. Mais surtout, comme chez les fourmis, chacun a son rôle dans la colonie, et on ne rigole pas avec la hiérarchie ! Ainsi, les « soldats » sont affectés au service de sécurité en cas de mauvaise rencontre, avec un serpent par exemple. Tandis que la reine, toute puissante, est la seule femelle qui peut avoir des petits. Seuls un ou deux mâles vigoureux sont chargés de batifoler avec elle. Et tous les autres membres sont de vulgaires ouvriers, stériles, et condamnés à creuser !

Vraiment bizarre...

Pour perturber les autres femelles, et les empêcher d'être fertiles, la reine passe son temps à les réprimander, avec des bons coups de pied ! Lorsqu'elle meurt, l'une des femelles retrouve sa capacité à avoir des petits et la remplace. À son tour de jouer les tyrans !

BLOC-NOTES

• Mes oreilles sont minuscules : elles se résument à un trou sans pavillon.

• Mes poils rares se battent en duel sur ma peau fripée.

• Mes yeux sont atrophiés et je n'y vois pas grand-chose.

• Mes incisives sont énormes et me servent à creuser des galeries de plusieurs kilomètres.

• Mes gros doigts griffus déblaient les monceaux de terre creusés avec mes dents.

NOM SAVANT
Heterocephalus glaber.

SURNOM
Rat-taupe nu.

ADRESSE
Des galeries, sous terre, dans différents pays d'Afrique (Kenya, Éthiopie et Somalie). Il ne sort que pour déménager.

TAILLE
8 à 9 cm (plus une queue de 3 à 4 cm).

CATÉGORIES
Vertébrés, mammifères, rongeurs.

SIGNE DISTINCTIF
Ressemble à une saucisse sur pattes.

SITUATION DE FAMILLE
Des tonnes de cousins, frères, sœurs, oncles et tantes qui vivent entassés les uns sur les autres en colonie d'une centaine d'individus.

MENU
Des racines et des tubercules, sauf pour la reine de la colonie qui se nourrit des excréments de ses sujets !

HOBBY
Creuser des galeries à la recherche de quoi manger.

REPRODUCTION
Fécondation interne par accouplement. La reine porte les petits dans son ventre et les allaite comme chez les humains. Elle peut en avoir vingt par portée !

La phyllie

Voilà les véritables maîtres du camouflage. Face à ces rois de l'illusion, les caméléons et les autres animaux font figure d'amateurs !

Le corps mince de ces insectes ressemble à s'y méprendre à des feuilles d'arbre. Petites taches brunes et nervures comprises ! Leur camouflage est si réussi que d'autres insectes, amateurs de verdure, se laissent prendre et se mettent parfois à les mordiller ! Même en mouvement, l'illusion est parfaite. Car leur démarche hésitante les fait passer pour des feuilles ondulant dans le vent ! Reines du détail, certaines phyllies imitent aussi le lichen qui attaque troncs et feuilles d'arbres. Elles prennent donc une dégoûtante apparence blanc-vert de champignon pourri ! Quant à leurs épatants cousins, les phasmes, ce sont de vrais petits bâtonnets animés qui peuvent mesurer jusqu'à 40 cm de long ! Longs et minces, ils rabattent leurs pattes articulées le long du corps, et leurs longues antennes épousent la forme de leur tête. Résultat : des brindilles plus vraies que nature ! Verts pour copier une tige bien fraîche, bruns pour jouer les branches mortes, ils peuvent même changer de couleur. Ils portent aussi parfois de petites épines çà et là sur les pattes pour reproduire celles des branchettes. Certains imitent même les bourgeons ! Pratiquement immobiles dans la journée, ils se déplacent la nuit avec une telle lenteur qu'ils passent totalement inaperçus aux yeux de ceux qui voudraient les croquer. Certaines espèces s'adaptent même à la luminosité : elles portent une tenue claire le jour et un costume sombre la nuit ! D'autres, plus téméraires, préfèrent jouer l'intimidation : elles se contorsionnent tant et si bien qu'on jurerait voir un scorpion !

Vraiment bizarre...

Chez leurs cousins les phasmes, il n'y a pratiquement que des femelles ! Certaines trouvent un mâle avec qui s'accoupler. Mais, pour la plupart, elles se reproduisent toutes seules. Leurs œufs ne donnent alors naissance qu'à d'autres femelles !

BLOC-NOTES

● Mon corps ressemble à une feuille d'arbre. J'imite tout ! Les nervures, les taches brunes, les bords grignotés par des insectes, je suis un génie du camouflage !

● Mes organes auditifs, sorte d'oreilles spéciales, sont situés sur mes pattes, au niveau des tibias !

● Mes œufs ont un minicouvercle. Du coup, ils ressemblent à des graines et passent eux aussi totalement inaperçus !

● Mon cousin, le phasme, a la patte qui repousse si un prédateur la lui arrache. Du moins, s'il est encore jeune et fringuant...

NOM SAVANT
Phylliidae (cette famille regroupe une trentaine d'espèces voisines).
SURNOM
Phyllie.
ADRESSE
La végétation, à l'île Maurice et aux Seychelles (à l'est de l'Afrique), en Asie du Sud-Est, et en Australie.
TAILLE
De 3 à 11 cm.
CATÉGORIES
Arthropodes (comme les araignées), insectes, *phasmatodea*.
SIGNE DISTINCTIF
Ressemble à une feuille.
SITUATION DE FAMILLE
Solitaire.
MENU
Des feuilles d'arbres.
HOBBY
Faire des imitations.
REPRODUCTION
Fécondation variable. Les femelles éjectent leurs minuscules œufs sur le sol ou les collent quelque part.

Le cnémidophore rayé

Pas un seul mâle à l'horizon ! Ces lézards du désert sont tous des filles ! Cela ne les empêche pas de se reproduire à coups de sœurs jumelles...

Chez ces lézards, il n'y a que des femelles ! Mais pour se reproduire, ce n'est pas un problème. Une femelle se contente de pondre, toute seule dans son coin. Bizarrement, ces œufs sortent déjà fécondés. Alors que chez la plupart des autres animaux, il faut y introduire des spermatozoïdes. Mais les petits cnémidophores ainsi conçus seront les copies conformes de leur mère. Ils ont exactement les mêmes gènes : ce sont donc des clones ! Lorsqu'il y a deux parents, au contraire, le bébé hérite des caractéristiques du père et de la mère à moitiés égales. Et les enfants sont différents de leurs parents. Dans ce cas, l'espèce engendre sans cesse de nouveaux individus dont le manteau peut être un peu plus épais, les doigts plus palmés ou l'estomac plus résistant. Au cas où surviendrait

un coup de froid, une montée des eaux, ou la disparition de certaines plantes, il y a plus de chance que certains des petits s'adaptent à la nouvelle situation. Et survivent. Mais si tout le monde est identique, comme chez ces lézards, tous risquent de mourir en même temps ! Fin de l'espèce ! Alors, pourquoi se reproduisent-ils ainsi ? Il y a tout de même des avantages. Dans les déserts où ils vivent, il n'y a pas foule. Et ils passent tout leur temps à chercher à manger pour survivre. En se « clonant », un seul lézard isolé peut donner naissance à toute une famille ! Sans perdre de temps à chercher l'âme sœur ! Pratique, non ?

Vraiment difficile...

Cette façon étrange de se reproduire tout seul, en se « clonant », s'appelle la parthénogenèse.

Vraiment bizarre...

Chez d'autres espèces de lézard, elles aussi sans mâles, les femelles « montent » leurs copines dans une sorte d'accouplement ! Bien sûr, c'est absolument inefficace, du moins pour se reproduire.

BLOC-NOTES

- Mon dos brun comporte six ou sept bandes plus claires dans le prolongement de ma queue.

- Mon corps est mince et élancé, et mon museau est pointu.

- Ma queue est très longue et ressemble à un fouet. Si un ennemi m'attrape par là et me l'arrache, je m'en fiche ! Elle repousse !

- Ma queue est bleu vif pendant ma jeunesse. Avec l'âge, elle vire au gris-brun.

NOM SAVANT
Cnemidophorus uniparens.
SURNOM
Cnémidophore rayé.
ADRESSE
Les déserts, les prairies, les broussailles, dans une toute petite région, au sud des États-Unis et au nord du Mexique, en Amérique du Nord.
TAILLE
15 à 23 cm.
CATÉGORIES
Vertébrés, reptiles (lézards).
SIGNE DISTINCTIF
Tous sont des femelles.
SITUATION DE FAMILLE
Mère célibataire. Elle élève seule ses filles, dehors ou dans un terrier.
MENU
Toutes sortes d'insectes.
HOBBY
Les bains de soleil rapides.
REPRODUCTION
Pas de fécondation. La femelle se reproduit seule et pond un à quatre œufs qu'elle enfouit sous des rochers ou des bûches.

Le mandrill

C'est l'excentrique de la forêt équatoriale : à côté de lui, un clown aurait l'air pâlichon ! Mais son « maquillage » chargé est un signe de grande virilité aux yeux des femelles.

En voilà un qui n'a pas peur de se faire remarquer ! Une barbiche jaune sous un nez rouge encadré de bourrelets bleus, un manteau de fourrure vert olive et des fesses rouge vif : un vrai costume de carnaval ! Le mandrill a vraiment l'air d'avoir forcé sur le maquillage, se mélangeant les pinceaux entre le fard à paupières et le rouge à joues. Se barbouillant jusqu'à la poitrine ! Mais attention, ces énergumènes « peinturlurés » sont des mâles bien virils. Madame mandrill, petite et discrète, reste en effet beaucoup plus sobre au niveau des couleurs. Normal : comme chez de nombreux autres primates, ce sont les mâles qui font tout pour se faire remarquer des femelles. Il suffit d'observer leur manège à la période des amours, de mai à novembre, lors de la saison sèche des forêts tropicales. Des douzaines de solides gaillards, solitaires le reste du temps, intègrent les larges bandes qui rassemblent alors quelques centaines de femelles et leurs petits.

C'est alors que la grande parade commence ! Les mâles rugissent, exhibent leur torse coloré, montrent leurs impressionnantes canines, font admirer leurs testicules bleus et leur pénis rouge aux femelles excitées et criardes. Les heureux élus de ce concours de virilité deviennent des mâles dominants. Chacun vit entouré d'un harem d'une vingtaine de femelles avec lesquelles il se reproduit. Tandis que les autres mâles sont piteusement éjectés. Et ils n'ont pas intérêt à venir conter fleurette à une jolie femelle !

BLOC-NOTES

● Mes énormes canines font parfois plus de 6 cm de long ! Je les montre pour impressionner un prédateur ou un rival, mais je ne mords pas si souvent que ça.

● Mes pattes avant et arrière ont presque la même longueur, ce qui me permet de marcher, mais aussi de courir à quatre pattes comme les chiens.

● Mon arrière-train, sans poils et bien rouge, souligne ma virilité et séduit les femelles.

NOM SAVANT
Mandrillus sphinx.
SURNOM
Mandrill.
ADRESSE
Les forêts pluviales du Congo, du Cameroun et du Gabon, en Afrique centrale. Il reste au sol le jour, mais grimpe dans les arbres la nuit.
TAILLE
60 à 80 cm (plus une petite queue de 7 à 9 cm).
CATÉGORIES
Vertébrés, mammifères, primates (singe).
SIGNE DISTINCTIF
Semble avoir trop forcé sur le maquillage.
SITUATION DE FAMILLE
Les femelles et leurs petits vivent en petits groupes qui se rassemblent parfois en larges bandes. Un mâle dominant s'impose pour la reproduction.
MENU
Fruits, graines, œufs et petits animaux.
HOBBY
Parcourir une dizaine de km par jour, en petit groupe, à la recherche de nourriture.
REPRODUCTION
Fécondation interne par accouplement. La femelle porte le petit dans son ventre et l'allaite, comme chez les humains.

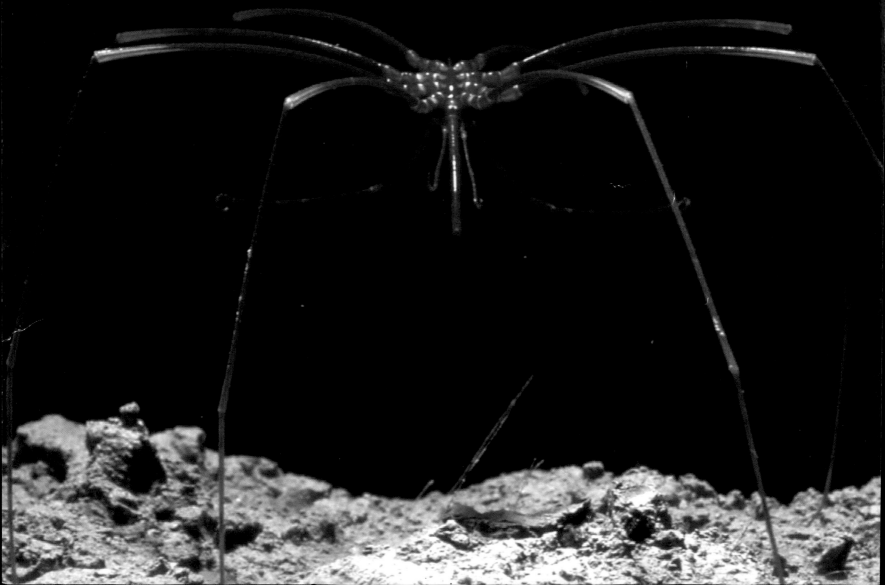

Le colossendeis

Il est carrément tout en jambes, celui-là ! Sorte « d'araignée » aquatique, il possède, outre des pattes gigantesques, des organes étrangement placés...

Cet animal marin est perché sur des pattes d'une longueur et d'une finesse incroyables. On dirait des échasses ! Elles peuvent mesurer jusqu'à 30 cm de long : c'est-à-dire près de quinze fois la longueur du corps minuscule que l'on distingue à peine, au centre. S'il avait des proportions aussi bizarroïdes, un chien serait monté sur des pattes de plus de sept mètres ! Drôle d'allure ! En tout cas, avec leurs longues gambettes, les animaux de cette famille aquatique se tiennent bien stables. C'est très pratique lorsqu'ils se posent à califourchon sur leur proie, une éponge ou une anémone de mer. Ils peuvent tranquillement la déchiqueter avec les pinces articulées de leur étrange tête à quatre yeux. Ou bien aspirer directement le contenu de la victime grâce à une petite trompe ! En fait, le colossendeis n'a qu'un seul problème : son corps est si petit qu'il n'y a pas la place pour y loger tous ses organes ! Il a donc fallu les mettre ailleurs. Le mâle se retrouve ainsi avec des testicules qui se prolongent jusque dans les pattes. Idem pour les ovaires de la femelle. Du coup, ses œufs se forment dans les fémurs. Et elle pond donc « par les pattes » ! Trop bizarre !

BLOC-NOTES

• Mes quatre paires de pattes filiformes me permettent de me déplacer sur les fonds marins. Mais je suis assez statique.

• Mes chélicères, sortes de pinces à l'avant de ma tête, arrachent de petits morceaux de nourriture et les portent à ma bouche. Les araignées et les scorpions ont aussi ce type de pinces, de différentes tailles.

• Ma trompe, à l'avant de ma bouche, se plante comme une paille dans le corps de mes proies. Je peux ainsi en aspirer directement le contenu !

• Je n'ai pas d'organes respiratoires et digestifs ! Je me contente d'absorber les gaz et les substances dissoutes par diffusion.

NOM SAVANT
Colossendeis colossa
SURNOM
Il n'en a pas.
ADRESSE
Les eaux froides, un peu partout dans le monde, jusqu'à 4 000 m de profondeur.
TAILLE
Environ 40 cm.
CATÉGORIES
Arthropodes (chélicérates, comme les araignées et les scorpions), pycnogonides.
SIGNE DISTINCTIF
Semble monté sur des échasses.
SITUATION DE FAMILLE
Solitaire (sauf pendant la période de reproduction).
MENU
Des animaux marins à corps mou comme les éponges, les anémones et les coraux.
HOBBY
Faire quelques pas au fond de l'eau.
REPRODUCTION
Fécondation externe. La femelle pond des œufs au niveau des fémurs, sur ses pattes arrière. Le mâle les récolte, les féconde et les porte jusqu'à éclosion.

Le poisson-pierre

Pour apercevoir cet affreux poisson stationné au fond de l'eau, il faut s'approcher très, très près. Mais pas trop ! Car il est l'un des animaux les plus dangereux du monde !

Il a vraiment l'air aimable comme une porte de prison… Si on ne fait pas attention à sa bouche patibulaire et à ses petits yeux, ce poisson hideux au corps trapu passe vraiment pour une pierre posée au fond de l'océan. Sa peau sans écailles est couverte de verrues qui imitent à merveille la mousse des récifs. Un peu caméléon, il prend aussi la couleur des rochers et cailloux alentour. Et surtout, il est capable de rester parfaitement immobile sur le sable pendant des jours. De toutes façons, c'est un très mauvais nageur. Il préfère attendre qu'un petit poisson inattentif passe à proximité de sa bouche largement fendue pour l'aspirer et le croquer avec ses dents effilées. Mais ce grand maître du camouflage est aussi le poisson le plus venimeux du monde. Gare à ne pas lui marcher sur la tête ! Ses épines dorsales, en plus de provoquer une douleur atroce, injectent un puissant venin qui paralyse les muscles et attaque le système nerveux. Il est capable de tuer un homme en deux heures ! Il existe un antivenin mais il faut l'injecter dans les trente minutes qui suivent la piqûre. Mieux vaut donc prévoir des chaussures spéciales si l'on s'aventure dans les eaux du poisson-pierre, comme en Australie ou en Nouvelle-Calédonie.

Attention !
Le poisson-pierre est un animal en voie de disparition !

NOM SAVANT
Synanceia (ce genre regroupe plusieurs espèces voisines).

SURNOM
Poisson-pierre

ADRESSE
Les fond marins de l'océan Indien et les récifs coralliens d'Australie, près des côtes, et même souvent au bord des plages.

TAILLE
20 à 60 cm selon les espèces.

CATÉGORIES
Vertébrés, poissons osseux.

SIGNE DISTINCTIF
Maître du camouflage et grand empoisonneur.

SITUATION DE FAMILLE
Solitaire (sauf pour la reproduction).

MENU
Poissons, crustacés et tous les petits animaux qui ont le malheur de s'approcher de sa grande bouche aspirante.

HOBBY
Rester immobile comme une pierre au fond de l'eau pendant des jours et des jours.

REPRODUCTION
Fécondation externe. La femelle pond ses œufs et le mâle dépose son sperme dessus pour les féconder.

BLOC-NOTES

● Mes yeux et ma bouche me trahissent. Sans eux, il serait pratiquement impossible de me distinguer d'une roche au fond de l'eau.

● Ma peau n'a pas d'écailles. Elle est couverte d'immondes verrues qui me donnent l'aspect d'une pierre moussue. Et j'adapte ma coloration à celle des rochers alentour.

● Mes nageoires pectorales me permettent de creuser le fond marin pour m'enfouir à moitié dans le sable. Je garde la bouche et les yeux tournés vers le haut, à l'affût de proies à avaler.

● Ma nageoire dorsale porte treize épines capables d'injecter un venin hyper toxique, souvent mortel.

Le protèle

Ce cousin des hyènes ressemble à un chien craintif. Il a la silhouette frêle et les dents rares. Il a d'ailleurs adopté un bien étrange régime pour un animal carnivore...

C'est l'excentrique de la famille. Ses cousines, les voraces hyènes, se jettent à grands coups de canines sur les cadavres d'animaux. Mais devant un plat de viande, le protèle, lui, fait la grimace... Le pauvre a des mâchoires un peu faiblardes. Et une dentition de vieillard cacochyme : en dehors de ses canines, de taille raisonnable, il n'a que quelques molaires ridiculement petites. Ce n'est pas avec ça qu'il pourrait se payer un bon steak ! À moins de s'offrir d'abord un dentier ! Ce carnivore pur sucre se trouve donc réduit à un régime plutôt original : des termites à tous les repas ! Posté au-dessus de la termitière, petit monticule de terre façon volcan, il les lèche à la sortie, par de rapides mouvements de langue gluante. Il en gobe 200 000 chaque nuit ! Car ce grand solitaire de la savane africaine se distingue aussi par sa vie de noctambule. Le jour, il préfère se prélasser, tranquille, à la maison, dans son terrier. D'abord, parce que par 45°C à l'ombre, on n'a pas vraiment envie de s'agiter. Ensuite, parce que les termites dont il se gave sont des insectes très pâles qui ne supportent pas la lumière du soleil. Ils ne s'aventurent donc en longues colonies hors de la termitière qu'à la tombée de la nuit. Le moment idéal pour se payer un bon gueuleton gluant !

BLOC-NOTES

● Ma langue très mobile est enduite d'une salive visqueuse pour attraper les termites. Comme j'avale aussi pas mal de terre, je veille à mon hygiène buccale en me lavant régulièrement la bouche.

● Mes longues oreilles à l'ouïe fine me permettent de repérer la termitière. Car ces insectes rongeurs de bois font un boucan terrible en mastiquant sans cesse.

● Mes pauvres dents sont de taille vraiment ridicule. Mon estomac musclé se charge donc de broyer tout ce que j'avale.

● Mon dos tombant vers mon arrière-train, et ma crinière, qui se dresse en cas de danger, confirment mon air de famille avec les hyènes.

● Mes pattes me servent à creuser mon terrier ou à recouvrir de sable mes excréments. Je préfère les faire dans des endroits précis, près des termitières, pour marquer mon territoire.

NOM SAVANT
Proteles cristatus.
SURNOM
Protèle.
ADRESSE
Un terrier dans la savane, en Afrique du Sud (Angola, Botswana, etc.) et en Afrique de l'Est (Kenya, Somalie, Tanzanie).
TAILLE
70 cm environ (plus une queue de 25 cm).
CATÉGORIES
Vertébrés, mammifères, carnivores (de la famille des hyènes).
SIGNE DISTINCTIF
Ne mange que des termites.
SITUATION DE FAMILLE
Solitaire (sauf pendant la période de reproduction).
MENU
Des termites. Parfois un oisillon ou un minuscule cadavre d'animal, mais très, très rarement !
HOBBY
Se laver les dents.
REPRODUCTION
Fécondation interne par accouplement. La femelle porte deux à quatre petits dans son ventre et les allaite, comme chez les humains.

La seiche

Elle s'immerge comme un sous-marin, utilise la propulsion à réaction et disparaît derrière un « écran de fumée » : un mollusque à la pointe de la technique !

Paré à faire surface, capitaine ! Faites entrer les gaz, videz les flotteurs : ça y est, nous remontons ! Ces manœuvres, habituelles à bord d'un sous-marin, ont en réalité été inventées par la seiche ! Dans son corps mou, elle cache en effet une sorte d'os plein de trous. Pour s'immerger, elle remplit ces creux avec de l'eau qui l'alourdit et l'entraîne vers le fond. Pour remonter, elle remplace l'eau par du gaz, plus léger, idéal pour flotter. Il lui suffit donc de faire rentrer ou sortir de l'eau dans ses « flotteurs » pour atteindre sa profondeur de croisière ! Et pour filer en cas de danger ? Sa technique ressemble davantage à celle de l'avion à réaction. Dans ce type de moteur, il s'agit d'expulser très vite et très fort de l'air vers l'arrière. Et, en réaction, l'avion est projeté vers l'avant. La seiche se propulse de la même façon, mais c'est de l'eau qu'elle expulse violemment par un trou situé sous la tête. Du coup, elle avance à reculons ! Elle peut aussi imiter les couleurs des fonds marins pour se camoufler. Mais son meilleur « gadget », c'est sa poche d'encre, reliée à l'intestin. Elle lâche un nuage noir et, ni vu ni connu, elle disparaît, cachée derrière cet « écran de fumée » à la James Bond ! Pas mal pour un vulgaire mollusque, parent éloigné de l'escargot !

Vraiment bizarre...

Pour attirer une jolie femelle, le mâle change de couleur ! Les cellules de sa peau dessinent des taches ou des rayures colorées, jaune, blanc, rouge ou brun. Quand il fait varier leur taille et ondule son corps, le regarder devient hypnotisant !

BLOC-NOTES

● Mes « pieds » (ou tentacules) sont collés directement à ma tête ! C'est pour cela que je suis un céphalopode : « céphalo » signifie « tête » et « pode » signifie « pied ».

● Ma petite nageoire, enrubannée autour de mon corps comme une minijupe, me permet d'avancer lentement. Mais, pour les sprints, j'expulse de l'eau !

● Mes dix tentacules, autour de ma bouche, sont garnis de ventouses. Je les projette sur ma proie pour l'attraper et la ramener vers ma bouche.

● Mon anus expulse un jet noir si je me sens menacée. Ce liquide sert à fabriquer le sépia, une sorte d'encre brun foncé utilisée pour les aquarelles.

● Mes deux gros yeux, protégés par des paupières mobiles, me permettent de repérer et de viser mes proies.

NOM SAVANT
Sepia officinalis.

SURNOM
Seiche.

ADRESSE
Le fond des océans et mers du monde entier, souvent près des côtes.

TAILLE
Jusqu'à 30 cm.

CATÉGORIES
Mollusques (comme les escargots), céphalopodes (comme les pieuvres et les calmars).

SIGNE DISTINCTIF
Fait le sous-marin et l'avion à réaction.

SITUATION DE FAMILLE
Solitaire (sauf pour la reproduction).

MENU
Crabes, poissons, coquillages.

HOBBY
Disparaître dans un nuage de fumée.

REPRODUCTION
Fécondation interne. Le mâle dépose une capsule contenant son sperme dans l'orifice de la femelle à l'aide d'un tentacule spécial. La femelle pond ensuite ses œufs.

L'éponge

Pas de pattes, pas de nageoires, pas d'ailes : que fait cette « plante » dans un livre sur les animaux ? Erreur de casting ?

L'éponge passe toute sa vie attachée à un rocher. Ou aux parois d'une grotte. Elle semble aussi statique que le bégonia de votre salon. Alors que le lion court, l'oiseau vole, le poisson nage et le serpent rampe. À première vue, l'éponge n'est donc qu'une vulgaire plante… Eh bien, pas du tout ! Pour être appelé « animal », ce qui compte, ce n'est pas de se déplacer. C'est de trouver son énergie dans ce qu'on mange. Alors que les plantes utilisent la lumière, qu'elles transforment par photosynthèse. Un individu fixé au sol peut donc tout à fait être un animal. Du moment qu'il trouve de quoi manger… Est-ce le cas pour l'éponge ? Voyons ça… Elle absorbe de l'eau par ses pores. Le plancton et les particules aquatiques sont entraînés et restent coincés à l'intérieur de son drôle de « corps ». Et elle s'en nourrit. Bref, pas besoin de bouger, c'est la nourriture qui vient à elle ! Elle y puise son énergie vitale. Elle est donc bien… un animal ! Même s'il s'agit du plus simple et sans doute du plus bizarre du monde ! Sa reproduction, en revanche, n'a absolument rien d'évident… Parfois, une partie de son « corps » bourgeonne et donne naissance à une nouvelle éponge. D'autres fois, certaines cellules « endormies » d'une éponge morte se réveillent et « ressuscitent » l'animal. Ou alors, les individus expulsent des œufs et des spermatozoïdes qui se rencontrent dans l'eau. Comme ça. Au hasard !

BLOC-NOTES

● Mes pattes, mes yeux, mon estomac et mon cerveau… n'existent pas ! Je ne suis qu'une masse spongieuse qui filtre l'eau.

● Mon « corps » est tapissé de pores qui absorbent l'eau. Je retiens le plancton et les fines particules, et je rejette l'eau et les déchets par un orifice.

● Ma forme peut être celle d'une amphore, d'un bouquet de tubes ou même d'une guirlande, mais, en général, je ne ressemble vraiment à rien !

● Mes couleurs sont parfois magnifiques. Rouge, bleu, jaune : dans les mers tropicales, je rivalise de beauté avec le corail !

Vraiment bizarre…
Certaines éponges sont carnivores ! Elles ont de longs filaments tapissés de minicrochets qui agrippent comme les bandes « Velcro » de nos vêtements. Les crustacés meurent en essayant de s'en dépêtrer et sont digérés par petits bouts…

NOM SAVANT
Spongiaires
(cet embranchement regroupe 10 000 espèces).

SURNOM
Éponge.

ADRESSE (fixe !)
Les rochers ou les grottes des océans et mers du monde entier. Parfois en eau douce.

TAILLE
De 10 cm jusqu'à 1 m de long et de large.

CATÉGORIES
Spongiaires.

SIGNE DISTINCTIF
Ressemble à une plante.

SITUATION DE FAMILLE
En colonie, les unes à côté des autres.

MENU
Du plancton, de fines particules en suspension dans l'eau, parfois de petits poissons et crustacés.

HOBBY
Filtrer l'eau.

REPRODUCTION
Mode très variable. Soit par bourgeonnement, soit après la mort de la « mère », soit en expulsant des œufs et des spermatozoïdes qui se rencontrent dans l'eau.

Le poisson plat

Pas croyable ! Ce poisson large et aplati comme une pizza a les deux yeux du même côté ! Le plus étrange, c'est qu'il n'était pas du tout comme ça à sa naissance...

Drôle d'équipe, ces poissons plats ! Carrelet, flétan, turbot, on dirait qu'ils sont passés sous un rouleau compresseur tellement ils sont larges et aplatis ! Durant leur jeunesse, ils ressemblent pourtant à des poissons ordinaires. Ils nagent près de la surface de l'eau, le corps à la verticale, un œil de chaque côté. Normal. Mais, à l'adolescence, la transformation est radicale : un de leurs yeux passe… de l'autre côté de la tête ! Ils se retrouvent donc avec les deux du même côté ! Puis ils se laissent tomber sur le fond, la face « aveugle » vers le sable, puisqu'il n'y a décidément pas grand-chose à y voir… Au moment de cette métamorphose, la bouche, symétrique au départ, prend aussi la tangente, un peu de travers, en se rapprochant des yeux. Histoire de ne pas avaler de la vase en permanence… Ensuite, une nouvelle vie commence ! Surtout pour le turbot. Car il devient l'un des grands maîtres du camouflage.

Faussaire de génie, il imite à la perfection le sol où il se pose. Ses yeux détectent d'abord les formes. Ensuite, son cerveau donne l'ordre à telle ou telle cellule de sa peau de changer sa coloration. En fonçant un peu ici, en éclaircissant là, elles parviennent à reproduire les motifs observés. Fascinant ! Même posé sur un damier, il en reproduit les cases noires et blanches !

BLOC-NOTES

● Mes deux yeux sont du même côté du corps. J'ai donc une face aveugle sur laquelle nager ou me poser.

● Mes nageoires me permettent parfois de m'enfouir dans la vase, laissant seulement dépasser mes horribles yeux. Parfait pour tromper les prédateurs !

● Ma peau est parfois capable de changer très vite de couleur. Certains d'entre nous, comme le turbot, imitent l'endroit où ils se trouvent à la perfection !

● Ma bouche s'est un peu tordue pour s'approcher de mes yeux. Le but est d'aspirer de l'eau pure, et non de la vase pleine de sable…

NOM SAVANT
Pleuronectiformes (cet ordre regroupe plus de 500 espèces).

SURNOM
Les poisson plats (le carrelet, le turbot, le flétan, etc.).

ADRESSE
Le fond de l'eau, posés ou enfouis dans le sable, partout dans le monde sauf aux pôles.

TAILLE
20 à 60 cm en général (mais jusqu'à 4 m pour le flétan !).

CATÉGORIES
Vertébrés, poissons osseux, pleuronectiformes.

SIGNE DISTINCTIF
Un de leurs yeux change de côté pour rejoindre l'autre.

SITUATION DE FAMILLE
Solitaire.

MENU
Petits poissons et crustacés.

HOBBY
Imiter les fonds marins.

REPRODUCTION
Fécondation externe. La femelle pond une gelée contenant jusqu'à 10 millions de minuscules œufs. Le mâle dépose dessus son sperme pour les féconder.

Le basilic vert

Ce lézard vert vif est l'un des rares à pouvoir marcher sur deux pattes. Il parvient même à courir sur l'eau sur plusieurs dizaines de mètres !

Incroyable ! Lorsque le basilic se dresse sur ses deux pattes arrière, il peut marcher sur l'eau ! Pas étonnant qu'on le surnomme « lézard Jésus-Christ ». Mais cela n'a rien d'un miracle. Le basilic vert doit cette prouesse à sa paire de pattes ultraperfectionnée. Longues et puissantes, elles bougent si vite qu'on dirait qu'elles tournent comme dans les dessins animés ! En pleine course, il se jette, les bras en avant, comme s'il avait le feu aux fesses ! Il frôle alors les 12 km/h ! Si l'on tient compte de sa taille, c'est aussi remarquable qu'un record olympique, puisqu'il est trois fois plus petit que nos athlètes qui atteignent 40 km/h au 100 m. Mais ceux-là couleraient à pic s'ils se ruaient ainsi sur la rivière ! Sur l'eau, il ne suffit pas de poser ses pieds très vite pour éviter de s'enfoncer. Il y a un truc ! Le basilic a des franges d'écailles qui s'ouvrent en éventail entre ses longs orteils. Résultat : des pieds palmés, comme ceux des canards. L'eau ne passe plus entre ses doigts lorsqu'il pose son grand panard. Et celui-ci se comporte un peu comme une mini-barque. Du coup, il pousse si fort et si vite sur ses énormes pieds palmés, que cela suffit pour contrebalancer son poids plume de quelques centaines de grammes. Idéal pour se sauver en cas de danger. Les jaguars n'en croient pas leurs yeux !

BLOC-NOTES

- Mes doigts de pieds ont une frange d'écailles, repliée en temps normal. Elle s'ouvre en éventail pour palmer mes pieds lorsque je cours sur l'eau.

- Mes larges crêtes en forme de voile, sur le dos et la queue, m'aident à nager.

- Ma queue m'équilibre quand je cours sur deux pattes. Pas question de l'abandonner à un prédateur comme le font souvent les autres lézards pour se sauver.

- Mes yeux jaunes me donnent un air diabolique ! Il y a 2000 ans environ, on croyait que je pouvais tuer quelqu'un rien qu'en le regardant : n'importe quoi !

NOM SAVANT
Basiliscus plumifrons.

SURNOM
Basilic vert ou lézard Jésus-Christ.

ADRESSE
Les branches d'arbres près des étangs et des rivières d'Amérique centrale (au Honduras, au Nicaragua, au Costa Rica, etc.).

TAILLE
60 à 75 cm.

CATÉGORIES
Vertébrés, reptiles (lézards).

SIGNE DISTINCTIF
Peut marcher sur l'eau.

SITUATION DE FAMILLE
Solitaire (sauf pour la reproduction).

MENU
Insectes et petits animaux.

HOBBY
Courir comme un dératé.

REPRODUCTION
Fécondation interne. Le mâle s'accouple avec un harem de plusieurs femelles. Chacune pond une vingtaine d'œufs.

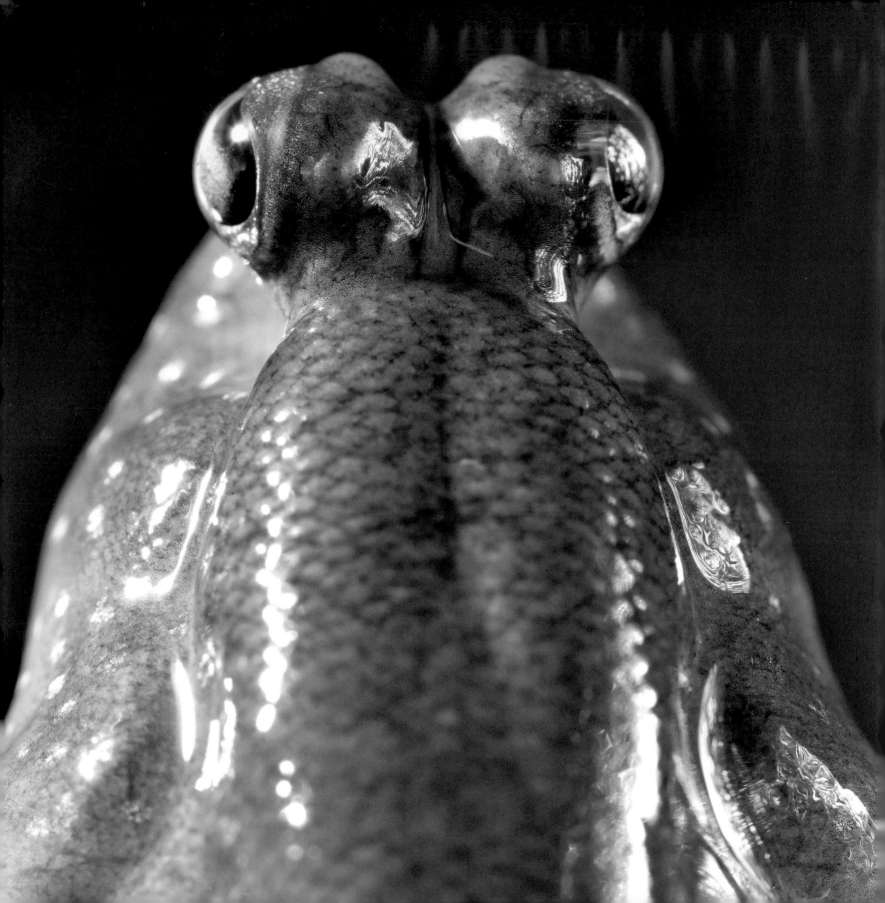

Le poisson promeneur

Ce drôle de poisson aux yeux de crapaud est capable de marcher ! Et même de respirer hors de l'eau ! Il se prend pour une grenouille, ou quoi ?

Il faut le voir pour le croire ! Ce poisson sort de l'eau et se met à sautiller à terre sur ses nageoires ! Sur un sol boueux où n'importe qui pataugerait lamentablement, il avance diablement vite, saute, grimpe sur les rochers et même sur les arbres ! Comment fait-il ? C'est simple : ses deux nageoires pectorales, courtes et musclées, sont soudées entre elles, par leur base. Du coup, elles font ventouse ! Il peut donc se coller n'importe où, et même grimper sur une tige à la verticale. Bien sûr, ces prouesses acrobatiques seraient franchement idiotes si ce grand marcheur n'arrivait pas à respirer hors de l'eau... Trois sauts, une grimpette, et paf ! il crèverait la bouche ouverte ! Bien avancé, maintenant ! Avant une bonne marche, il prévoit donc d'emporter de l'eau dans une cavité de sa tête. Et il la filtre avec ses branchies pour en tirer de l'oxygène, comme n'importe quel poisson. Bien sûr, il doit régulièrement retourner faire trempette, pour humidifier sa peau et se réapprovisionner en eau. Mais en cas de panne, il peut respirer directement de l'air ! Absolument fabuleux pour un poisson ! Il doit cette prouesse à sa bouche et à sa gorge qui contiennent de nombreux vaisseaux sanguins. Ceux-ci parviennent à extraire l'oxygène de l'air, un peu comme dans les poumons des animaux terrestres. Le poisson promeneur reste donc souvent la bouche ouverte, sur la boue, pendant des heures. Il en profite pour gober quelques mouches à l'occasion !

Vraiment bizarre...

Certaines espèces de gobies, cousines du *periophthalmus*, vivent dans les coraux, en groupes de plusieurs femelles autour d'un seul mâle. Si ce dernier meurt, l'une des femelles le remplace en changeant de sexe !

NOM SAVANT
Periophthalmus barbarus.
SURNOM
Poisson promeneur.
ADRESSE
Un terrier, dans des marais boueux, près des côtes de l'Afrique de l'Ouest.
TAILLE
Jusqu'à 25 cm.
CATÉGORIES
Vertébrés, poissons osseux.
SIGNE DISTINCTIF
Poisson capable de marcher et de respirer hors de l'eau.
SITUATION DE FAMILLE
Solitaire (sauf pour la reproduction).
MENU
Mouches, araignées, crevettes et tous les délicieux petits crustacés qu'on trouve dans la vase.
HOBBY
Traîner dans la boue.
REPRODUCTION
Fécondation interne. Le mâle féconde les œufs directement dans l'ovaire de la femelle qui les pond seulement ensuite.

BLOC-NOTES

● Mes yeux, haut perchés sur ma tête, me permettent de voir en l'air. Je repère ainsi les mouches que j'aime gober et surtout les oiseaux qui veulent me dévorer !

● Mes nageoires pectorales courtes et musclées me permettent de me traîner hors de l'eau, dans la vase, et de sautiller dans la boue. Je grimpe même aux arbres !

● Ma bouche et ma gorge sont tapissées de vaisseaux sanguins ultra-fins. Ils sont capables d'absorber l'oxygène de l'air, un peu comme dans les poumons des animaux terrestres.

● Mes gros yeux globuleux sont couverts d'une épaisse peau transparente protectrice. Pour les garder toujours humides, même hors de l'eau, je les fais rouler dans mes orbites.

Le crapaud accoucheur

Beurk ! Qu'a-t-il de collé sur les fesses, celui-là ? Une très grosse « commission »...? Mais non ! Ce sont ses œufs ! Enfin, ceux de sa femelle...

Ces crapauds ont une façon peu ordinaire de se répartir les tâches entre mâle et femelle. Voici comment ça se passe. Par une chaude nuit d'été, le mâle lance des « hou hou » qu'on jurerait sortis du bec d'un hibou. Attirée par ce doux appel, une femelle prête à pondre s'approche gentiment. Le mâle l'agrippe au niveau de la taille avec ses petites pattes musclées. Et lui donne de nombreux coups de pieds dans le cloaque pour l'aider à expulser sa cinquantaine d'œufs, d'où le fameux surnom d' « accoucheur ». Illico presto, le mâle féconde les œufs avec son sperme. Jusque-là, rien de bien extraordinaire. Mais ensuite, le mâle ramasse le chapelet d'œufs gélatineux et se le colle sur les pattes arrière ! Et la femelle, dont le rôle est terminé, s'en va sans verser la moindre larme. Tandis que le crapaud, en bon père célibataire qu'il est devenu, se retire pendant plusieurs semaines sous une pierre, dans un trou humide, pour veiller sur sa progéniture. Quand les œufs sont prêts à éclore, il file tremper son arrière-train dans la mare la plus proche. Car ses chers petits têtards doivent naître dans l'eau où ils achèveront leur croissance avant de se transformer en crapauds. Et hop ! À peine débarrassé de son fardeau, le mâle, véritable papa poule dans l'âme, se remet à chanter… Prêt à se recoller une cinquantaine de gosses dans les pattes !

Vraiment bizarre...

Parfois, le mâle se colle deux chapelets d'œufs, issus de deux femelles différentes. Il doit alors s'occuper à tour de rôle de ses deux familles.

BLOC-NOTES

- Ma peau, rugueuse et couverte de verrues, fabrique un poison, comme celle de la plupart des crapauds et des grenouilles. Mais il est peu toxique.

- Mes pattes avant sont très musclées. Elles me permettent de creuser un éventuel abri dans la terre.

- Ma bouche ne contient aucune dent. Incapable de mâcher ou de découper mes proies, je dois les avaler entières.

- Mes œufs sont enduits d'une sorte de gélatine qui gonfle dans l'eau et qui les protège des prédateurs tentés par une bonne omelette...

NOM SAVANT
Alytes obstetricans.

SURNOM
Crapaud accoucheur.

ADRESSE
Les jardins, les murs de pierres sèches, les dunes et les pentes rocheuses, en France, en Espagne et dans d'autres pays d'Europe de l'Ouest. Il dort le jour et sort la nuit.

TAILLE
3 à 5 cm.

CATÉGORIES
Vertébrés, amphibiens, anoures.

SIGNE DISTINCTIF
C'est le mâle qui porte les œufs.

SITUATION DE FAMILLE
Solitaire (sauf pour la reproduction).

MENU
Mollusques, araignées, mouches et autres petits insectes.

HOBBY
Le chant au fond des bois.

REPRODUCTION
Fécondation externe. La femelle pond un chapelet de gros œufs. Le mâle, agrippé derrière elle, les féconde dès leur sortie.

L'écureuil volant

Quelle est cette créature qui fend les airs dans la profondeur de la nuit ? Superman ? Non, ce n'est que le petit écureuil volant !

Ce petit rongeur, cousin des écureuils roux ordinaires, possède un manteau très spécial. Une grande membrane relie en effet ses pattes et ses bras, un peu comme les chauves-souris. Résultat : une sorte de cape qui fait office de parachute. Grâce à elle, il peut planer d'arbre en arbre sur plus de 50 m ! Et même jusqu'à 400 m pour certaines espèces asiatiques ! Il peut aussi changer brutalement de direction en plein élan, en utilisant sa queue comme un gouvernail. Mais attention ! Ce manteau freine la chute sans permettre de vraiment voler. D'ailleurs, à chaque saut plané, l'écureuil volant perd un peu d'altitude… De temps en temps, il doit donc pousser sur ses puissantes pattes arrière pour remonter de quelques dizaines de mètres, en bondissant d'un tronc à l'autre. Autre inconvénient avec sa cape de super-héros : elle est très encombrante lorsqu'il s'agit de marcher comme les écureuils ordinaires. Ceux-là ne font peut-être pas les malins en panoplie de Batman, mais il faut avouer que ce sont les rois des funambules pour grimper, courir et sauter à toute allure sur les branches. Alors que l'écureuil volant se retrouve plutôt empoté dès il ne plane pas… Pour éviter de se jeter en pâture à ses prédateurs, il préfère donc rester incognito, caché, toute la journée. Il attend la nuit pour sortir en catimini et jouer les super écureuils !

BLOC-NOTES

- Ma peau en « parachute », qui relie mes bras et mes pattes, s'appelle le patagium.

- Mes oreilles sont plus grandes que celles des autres écureuils. Elles me permettent de détecter mes ennemis quand je plane la nuit.

- Mes habiles mains à quatre doigts dépiautent les graines dont je me gave. Mes griffes agrippent l'écorce des arbres pour grimper.

- Mes joues emmagasinent les graines que je transporte jusqu'à ma cachette. Je les garde pour l'hiver si j'appartiens à une espèce qui hiberne.

- Ma queue peut servir de gouvernail pour changer de direction de vol. Elle m'équilibre aussi lors des sauts ordinaires.

NOM SAVANT
Glaucomys, Petaurista, Pteromys (ces trois genres regroupent une trentaine d'espèces voisines).

SURNOM
Écureuil volant.

ADRESSE
Un nid abandonné ou le creux d'un tronc, dans les forêts tropicales ou tempérées, en Amérique, en Asie ou en Europe, selon les espèces.

TAILLE
Environ 20 cm (plus une longue queue).

CATÉGORIES
Vertébrés, mammifères, rongeurs.

SIGNE DISTINCTIF
Il a une « supercape ».

SITUATION DE FAMILLE
En général, la femelle élève ses petits sans le mâle qui reste solitaire. Mais, en hiver, ils peuvent partager à vingt une même cachette.

MENU
Graines, noix, fruits, feuilles, bourgeons.

HOBBY
Le vol plané.

REPRODUCTION
Fécondation interne par accouplement. La femelle porte les petits dans son ventre et les allaite comme chez les humains.

Le dragon de Komodo

Un cauchemar sur pattes ! Sa morsure est une véritable « bombe à retardement » pour ses pauvres victimes. Même si elles parviennent à s'échapper...

Pff, il n'a pas l'air commode celui-là ! Ce lézard géant, le plus grand de tous, semble tout droit sorti de la préhistoire ! Redoutable ! Il s'attaque à toutes sortes de proies, peu importe la taille : sangliers, buffles d'eau, cerfs, et parfois même à des hommes ! Avec ses puissantes mâchoires, il mord sauvagement sa victime. Même si elle parvient à s'échapper, elle est déjà fichue... Les bactéries toxiques de la salive du gros lézard ont contaminé la blessure. Elle finira par s'écrouler et succomber à l'infection provoquée. Grâce à son odorat surpuissant, le dragon la retrouvera, où qu'elle soit. Car sa langue fourchue, semblable à celle des serpents, lui permet de « goûter » l'air et les minuscules particules qu'il transporte.

Il détecte ainsi de la viande en décomposition à cinq kilomètres à la ronde ! Vorace, il mange rapidement, en avalant la chair sanguinolente, la peau et même les os ! Il est capable d'engloutir la moitié de son poids en un seul repas ! Si certains de ses congénères, alléchés par l'odeur, s'invitent au festin, ils se battent à grands coups de queue. Ces monstres courent à 18 km/h, nagent presque aussi bien que les poissons et grimpent même aux arbres. Au secours !

Vraiment bizarre...

Les adultes vivent au sol alors que les jeunes sont souvent dans les arbres. On ne sait pas exactement pourquoi ils se tiennent ainsi à distance. Mais c'est probablement parce que ces horribles dragons sont cannibales et qu'ils pourraient croquer les petits !

BLOC-NOTES

● Ma robuste queue sert d'arme, pour frapper. Ou bien elle sert d'appui, quand je me tiens debout, comme un lutteur, pour affronter mes rivaux lorsque nous nous disputons une femelle.

● Mes pattes aux griffes pointues me permettent de déchirer la viande, de creuser des terriers et même de grimper aux arbres !

● Mes dents pointues ne peuvent pas mastiquer. Elles ne me servent qu'à arracher des lambeaux de chair.

● Mes mâchoires ont une articulation extrêmement souple. Je peux donc ouvrir largement la gueule pour avaler d'énormes morceaux.

NOM SAVANT
Varanus komodoensis.

SURNOM
Dragon de Komodo.

ADRESSE
Les bois clairs et le lit des rivières à sec, sur des petites îles d'Indonésie comme celle de Komodo, en Asie du Sud-Est.

TAILLE
2 à 3 mètres.

CATÉGORIES
Vertébrés, reptiles (lézards).

SIGNE DISTINCTIF
Une langue de serpent, véritable radar à viande sanguinolente.

SITUATION DE FAMILLE
Solitaire (sauf pour la reproduction).

MENU
De la viande de sanglier, de buffle d'eau, de cerf et d'autres animaux qu'il tue ou qui sont déjà morts.

HOBBY
Dépecer des charognes.

REPRODUCTION
Fécondation interne par accouplement. La femelle pond ensuite jusqu'à 25 œufs dans un nid creusé dans le sable. Après l'éclosion, les petits sont livrés à eux-mêmes.

La mouffette rayée

**Tout le monde la fuit dans la forêt ! Elle sent le gaz ou quoi ?
Presque ! Elle projette une substance puante à tomber raide !**

C'est une sorte de blaireau court sur pattes, qui marche presque ventre à terre, et qui n'a pas l'air bien effrayant. Pourtant, la mouffette dispose d'une « arme chimique » qui fait fuir la plupart des animaux. Même les grands carnivores ! Son postérieur projette un liquide, exactement comme un pistolet à eau. Sauf que l'eau est ici remplacée par une substance pleine de soufre, horriblement puante et fabriquée dans son anus. Elle brûle la peau et pique les yeux. Elle peut même rendre aveugle pendant quelques heures ! La mouffette le sait bien et préfère viser la tête, si possible... Le liquide est si nauséabond qu'on peut en être asphyxié plusieurs minutes. Quant aux vêtements aspergés, ils sont bons pour la poubelle : l'odeur résiste à tout lavage !

Les petits des mouffettes sont vraiment très précoces dans cette pratique dégouttante. Ils naissent aveugles et sans défense, mais, à peine six semaines plus tard, ils peuvent déjà arroser un ennemi ! Alors, gare aux rencontres, au détour d'un arbre, avec cette créature. Si elle se met à marteler le sol avec ses pattes avant, puis se dresse dessus pour faire le poirier, il faut fuir pendant qu'il est encore temps ! Sinon, la mouffette se redresse, se tourne pour montrer son postérieur, queue levée, parée à tirer, et feu ! Et, elle fait mouche à près de 3 mètres ! Beurk !

BLOC-NOTES

● Ma longue queue touffue se dresse et se hérisse pour me faire paraître plus grande lorsque je veux impressionner un intrus.

● Mon pelage rayé noir et blanc avertit les autres animaux. Ils comprennent qui je suis et préfèrent fuir, en général...

● Mes courtes pattes avant martèlent le sol en cas d'affrontement. Je me dresse dessus en faisant le poirier. Si l'ennemi insiste, je lui montre mes fesses et je tire !

● Mes longues griffes sur les pattes avant me permettent de creuser la terre pour dégager toutes sortes d'insectes et de larves dont je me régale.

● Mes deux glandes anales, petits réservoirs dans l'anus, fabriquent le liquide incroyablement puant que je projette à près de 3 mètres.

NOM SAVANT
Mephitis mephitis.
SURNOM
Mouffette.
ADRESSE
Une tanière dans les forêts, les prairies, les déserts ou même les villes des États-Unis, du Canada et du Mexique, en Amérique du Nord.
TAILLE
50 à 75 cm (plus une queue de 17 à 25 cm).
CATÉGORIES
Vertébrés, mammifères, carnivores, mustélidés.
SIGNE DISTINCTIF
Tire un jet puant à 3 mètres.
SITUATION DE FAMILLE
La femelle élève seule ses petits. Le mâle est solitaire. Mais, en hiver, ils se regroupent aussi jusqu'à huit dans le même terrier.
MENU
Insectes, oiseaux, poissons, œufs, fruits et graines.
HOBBY
Dormir le jour et sortir la nuit chercher de quoi manger.
REPRODUCTION
Fécondation interne par accouplement. La femelle porte 5 ou 6 petits dans son ventre et les allaite comme chez les humains.

L'opossum de Virginie

Il se nourrit de déchets, passe ses nuits à saccager les poubelles et n'a peur de personne ! Car ce petit marsupial de la taille d'un gros chat utilise une tactique de défense absolument étonnante...

On peut bien le secouer comme un prunier, l'opossum ne bronche pas. Il reste enroulé, les yeux vides et la bouche ouverte, langue pendante et bave coulante. Mais cela n'a rien d'un jeu. C'est une véritable question de survie : pour tromper un loup ou un lynx qui voudrait le croquer, l'opossum de Virginie fait le mort. Car, à part les hyènes et autres charognards, la plupart des animaux carnivores font la fine gueule devant les cadavres : de la viande avariée, non merci ! Et si certains prédateurs tenaces insistent, se méfient, l'opossum peut rester ainsi immobile pendant près de six heures ! Pour parfaire le tableau, un liquide verdâtre puant s'écoule même de son anus. Le message semble alors clair : « Je suis mort, déjà en train de me décomposer, et c'est évidemment pour ça que je sens si mauvais… ! » Le résultat est si réussi que les zoologues ne savent pas s'il est vraiment très bon acteur ou bien s'il est réellement victime d'un malaise, paralysé par la peur… Mais il est parfois pris de vitesse, surpris debout et en pleine forme par un prédateur qui s'est approché à pas de loup. Trop tard pour jouer son numéro de macchabée ou prendre la poudre d'escampette ! Il lui reste heureusement une autre technique de défense : garder la gueule grande ouverte et montrer ses cinquante dents aiguisées pendant près de quinze minutes d'affilée !

Vraiment bizarre...

À la naissance, les larves mesurent à peine 1,5 cm. Elles doivent vite grimper vers la poche de leur mère. Celles qui tombent sont fichues, car elles ne trouveront plus de mamelles disponibles à l'arrivée…

BLOC-NOTES

● Mes oreilles bougent comme des périscopes pour capter le moindre craquement de brindille et, peut-être, l'approche d'un prédateur. Mais, au Canada, leurs pointes se cassent souvent à cause du gel !

● Mes cinq griffes à chaque patte font de moi un bon grimpeur, mais je suis assez mauvais à la course. Je préfère donc manger des restes et des déchets plutôt que chasser mon dîner…

● Ma queue est capable de s'enrouler sur une branche. Acrobate accompli, je me suspends alors la tête en bas, et avec mes deux mains, je cueille mes baies préférées.

● Mon ventre abrite une poche, comme les kangourous. Mes bébés, larves roses pas vraiment « terminées » à la naissance, y poursuivent leur développement durant 70 jours.

NOM SAVANT
Didelphis virginiana.

SURNOM
Opossum de Virginie.

ADRESSE
Terriers et trous d'arbre dans les forêts, bâtiments en ruine dans les villes, aux États-Unis et au Mexique. Il dort le jour et sort la nuit.

TAILLE
30 à 50 cm environ (plus une queue nue de 25 à 50 cm).

CATÉGORIES
Vertébrés, mammifères, marsupiaux.

SIGNE DISTINCTIF
Fait le mort en cas de danger.

SITUATION DE FAMILLE
Solitaire très hargneux (sauf pour la reproduction).

MENU
Fleurs, fruits, vers et œufs, petits animaux morts et tout déchet à portée de pattes.

HOBBY
Faire les poubelles.

REPRODUCTION
Fécondation interne par accouplement. La femelle porte une vingtaine de petits dans son ventre. Elle allaite les premiers arrivés jusqu'à ses treize mamelles ventrales.

Le diable épineux

Sa carapace est effrayante. Sert-elle d'arme redoutable ?
Pas du tout ! En fait, il l'utilise, à l'occasion, pour boire un coup...

Dangereux, ce lézard piquant ? Pff, juste du bluff ! Ce n'est qu'un dragon format de poche : il tient dans la main ! Avec sa minuscule bouche, il est donc bien incapable de mordre… En fait d'arme de tueur, sa petite cuirasse sert de bouclier protecteur. Au cas où un prédateur voudrait le manger en fricassée… Et c'est efficace : qui irait se fourrer dans la bouche un tel « cactus » vivant, au risque de se coincer les épines en travers de la gorge ? Mais c'est surtout contre la chaleur que sa drôle de peau le protège. Imperméable, elle l'empêche de beaucoup transpirer. Sinon, toute l'eau de son corps s'évaporerait en un rien de temps. Et il se transformerait vite en une petite flaque ! Car, dans le désert australien, la température grimpe souvent à 45°C. Et de l'ombre, il n'y en a pas… Pas un arbre, pas un buisson, pas une brindille. Rien. Tout ce qu'il y a, ce sont des fourmis. Il passe donc ses journées à les suivre à la trace et les lèche à pleine langue pour tout repas. Un petit verre d'eau pour faire passer ? Hum ! les jours de pluie sont rares, hélas… Et puis, comment boire sans récipient ? Sur le sol ? Impossible : le sable est partout, et il engloutit tout ce qui coule… Heureusement, notre lézard peut toujours compter sur sa bonne vieille carapace. L'eau ruisselle entre ses épines et coule directement jusqu'aux coins de sa bouche : sauvé !

BLOC-NOTES

● Ma tête est ornée de deux petites cornes. C'est à elles que je dois mon surnom de « diable » !

● Ma démarche est lente et je reste longtemps en plein soleil à la recherche de nourriture. Heureusement, ma peau me protège de la chaleur et de mes ennemis.

● Ma langue gluante me permet de lécher les fourmis, environ trente à la minute. Je dois en croquer deux mille pour me caler l'estomac !

● Ma peau hérissée de piquants prend différentes colorations selon la température et la luminosité : brun, gris, orangé ou jaunâtre.

NOM SAVANT
Moloch horridus.

SURNOM
Diable épineux ou diable cornu.

ADRESSE
Un terrier dans les déserts très chauds d'Australie.

TAILLE
15 à 18 cm (il tient dans la main !).

CATÉGORIES
Vertébrés, reptiles (lézards).

SIGNE DISTINCTIF
Ressemble à un cactus sur pattes.

SITUATION DE FAMILLE
Solitaire (sauf pour la reproduction).

MENU
Des fourmis, rien que des fourmis.

HOBBY
Boire un coup, mais alors, vraiment très rarement…

REPRODUCTION
Fécondation interne par accouplement. La femelle pond trois à dix œufs, en été, dans un terrier.

Le saki à tête pâle

Plutôt bizarre, cette fourrure si chaude pour un animal qui vit dans les forêts tropicales ! Ce timide petit singe d'Amérique a pourtant une bonne raison de porter son gros manteau...

On dirait qu'il s'est renversé un flacon de teinture blond platine sur le visage ! Mais seul le mâle arbore cette teinte pâle sur la face. La femelle se contente de petites raies blanches sur le nez. Ils sont si différents que les zoologues qui les ont découverts n'ont pas vu de suite que le gros décoloré était bien le mari de la petite discrète. Pourtant, on les voit rarement l'un sans l'autre : inséparables, ces deux-là ! D'ailleurs, ils sont parmi les seuls singes à vivre en couple, alors qu'en général, chez leurs cousins primates, un harem de plusieurs femelles entoure un seul mâle. Mais le plus étonnant, chez le mâle comme la femelle, c'est cette épaisse fourrure qu'ils s'obstinent à porter. Pourtant, chez eux en Amazonie, il fait une chaleur caniculaire ! Allez, tombez le manteau, les gars ! Blague à part, il y a une très bonne raison pour être ainsi hyperpoilu dans les forêts tropicales. À la saison des pluies, ce sont de véritables trombes d'eau qui trempent les habitants jusqu'aux os. À défaut de ciré

imperméable, la fourrure touffue de ces petits singes sert de couche ultra-absorbante. La pluie est ainsi en partie retenue dans les poils. Et elle atteint moins vite le petit corps du saki, bien au sec, plusieurs centimètres en dessous ! Ingénieux, non ? Mieux encore : quand le soleil revient, l'ami saki a toujours à boire sous la main en cas de petite soif. Car il lui suffit de lécher les longs poils touffus de ses doigts encore tout mouillés : à la tienne !

BLOC-NOTES

● Ma fourrure, épaisse et touffue, sert de couche absorbante pour retenir l'eau en cas de pluie diluvienne.

● Ma très grosse queue est plus longue que mon corps.

● Mes incisives acérées sont très coupantes et mes longues canines sont cassantes. Je suis végétarien et je ne m'en sers que pour couper les fruits et écraser les graines.

● Ma face est toute blanche, ou dorée, si je suis un mâle. Elle encadre mon large nez et mes singuliers yeux orangés.

NOM SAVANT
Pithecia pithecia.

SURNOM
Saki à tête pâle.

ADRESSE
Les arbres des forêts tropicales d'Amazonie, au Venezuela et en Guyane, en Amérique du Sud.

TAILLE
35 cm environ (plus une épaisse queue de 40 cm).

CATÉGORIES
Vertébrés, mammifères, primates (singes).

SIGNE DISTINCTIF
Un visage pâle et un épais manteau de fourrure.

SITUATION DE FAMILLE
En couple. Ils ont un à trois petits qu'ils élèvent ensemble. C'est l'un des rares singes qui ne vit pas en bande de plusieurs femelles autour d'un mâle dominant.

MENU
Fruits, noix et graines.

HOBBY
Mener sa petite vie bien tranquille, avec sa compagne, en restant discret.

REPRODUCTION
Fécondation interne par accouplement. La femelle porte le petit dans son ventre et l'allaite, comme chez les humains.

Le poisson-clown

En voilà de drôles de gugusses ! Ils adorent se fourrer dans les anémones de mer, alors que ce sont des pièges mortels pour tous les poissons !

Bizarres, ces petits poissons tropicaux… Ils viennent d'emménager dans une anémone de mer. Pourquoi diable se jettent-ils ainsi dans la gueule du loup ? Ils savent bien que ces tentacules blanchâtres sont dangereux : ils piquent, paralysent et tuent les poissons dont l'anémone fait son dîner ! Quelle drôle d'idée de vouloir y habiter ! Pas si surprenant, en fait… En vérité, le poisson-clown est le seul à garder la vie sauve dans ces boules urticantes. Pour cela, il se frotte aux tentacules, d'abord juste un peu, puis de plus en plus. Au fur et à mesure, sa peau apprend à fabriquer un mucus protecteur. Cela fonctionne un peu comme un vaccin : il suffit de rencontrer la substance dangereuse en très petite quantité. Une fois « vacciné », c'est le paradis ! Qu'une grosse brute essaye de le croquer, pour voir ! Qu'elle approche… Le poisson-clown file se cacher entre les tentacules. Et si l'autre l'y poursuit, il risque de passer un sale quart d'heure ! En échange de cette protection, les poissons-clowns rendent service à leur logeuse. Ils font un petit peu de ménage, de temps à autre, pour aider l'anémone à rester propre. C'est simple, il suffit de manger ses détritus ! Parfois même, ils la défendent un peu, en faisant la chasse aux poissons papillons qui adorent lui brouter les tentacules. Hep, vous-là, pas touche à notre maison !

Vraiment bizarre…

Chaque petit poisson-clown mâle part s'installer dans une anémone avec plusieurs autres, dont une seule femelle. Lorsqu'elle meurt, le plus âgé change de sexe et la remplace !

BLOC NOTE

● Mes couleurs magnifiques sont différentes selon les espèces. Je peux être jaune, orange ou rouge. Un vrai costume de clown !

● Mon corps est rayé d'une, deux, ou trois bandes blanches.

● Mon sexe peut changer : les mâles deviennent parfois des femelles en grandissant.

● Ma peau est couverte d'un mucus protecteur. Pour le fabriquer, je dois me frotter petit à petit sur les tentacules urticants de l'anémone.

NOM SAVANT
Amphiprions (ce genre regroupe une vingtaine d'espèces différentes).
SURNOM
Poisson-clown.
ADRESSE
Les récifs coralliens de l'océan Pacifique, près de l'Indonésie et de l'Australie.
TAILLE
6 à 15 cm.
CATÉGORIES
Vertébrés, poissons osseux.
SIGNE DISTINCTIF
Il habite une maison ultra-toxique.
SITUATION DE FAMILLE
Ménage à trois, au moins, dont une seule femelle. Le mâle le plus âgé est le mâle reproducteur.
MENU
Krill, crevettes, moules, et aussi les détritus de son anémone de mer.
HOBBY
La chasse aux poissons-papillons.
REPRODUCTION
Fécondation externe. La femelle pond quelques centaines d'œufs sur un rocher, près de l'anémone où ils habitent. Puis, le mâle le plus âgé les féconde.

La mygale

On dirait une grosse main velue ! Certaines mygales frôlent les 30 centimètres d'envergure ! Pourtant, elles ne peuvent avaler que de la bouillie...

Plus grandes araignées du monde, les mygales ont une technique de chasse bien particulière. Au lieu d'attendre sur une toile que de minuscules insectes viennent s'y empêtrer, elles préfèrent utiliser la force. Elles sautent brutalement sur des proies parfois plus grosses qu'elles ! Certaines mygales restent cachées dans leur terrier en laissant dépasser des fils de soie. Dès qu'ils vibrent, effleurés par un lézard ou une grenouille, l'araignée bondit comme un diable hors de sa boîte ! Rapidement maîtrisée, la victime est entraînée dans l'horrible tanière. Mais, pour avaler cet énorme dîner, c'est une autre histoire... Géantes ou pas, les araignées ont toujours un corps en deux parties : le céphalothorax, sur lequel se trouve la tête, et l'abdomen, grosse « boule » collée juste derrière. Or, ces deux parties sont reliées par une jointure très étroite... Comment faire passer les aliments, qui entrent par la bouche, jusque dans l'estomac, situé dans l'abdomen ?

La moindre bouchée reste coincée ! Seule solution : digérer son repas avant de l'avaler ! La mygale régurgite donc des sucs gastriques sur sa proie, tout en la triturant avec ses chélicères pour accélérer leur décomposition. Il faut parfois plusieurs heures pour réduire la victime en bouillie ! Et pouvoir enfin l'aspirer !

NOM SAVANT
Theraphosidae (cette famille regroupe plus de 800 espèces).

SURNOM
Mygale.

ADRESSE
Un terrier ou un arbre, dans les forêts et les zones semi-désertiques, surtout dans les pays tropicaux (d'Afrique, d'Amérique centrale et du Sud, etc.). Elles ne sortent que la nuit.

TAILLE
Jusqu'à 28 cm !

CATÉGORIES
Arthropodes (chélicérates, comme le colossendeis), arachnides, aranéides.

SIGNE DISTINCTIF
Ressemble à une main velue.

SITUATION DE FAMILLE
Solitaire (sauf pendant l'accouplement).

MENU
Coléoptères, papillons, petits reptiles, rongeurs, et d'autres araignées !

HOBBY
Liquéfier ses proies pour les boire.

REPRODUCTION
Fécondation interne. Avec une sorte de « patte », le mâle introduit son sperme dans l'orifice génital de la femelle. Elle pond ensuite environ mille œufs.

BLOC-NOTES

- Mes poils détectent les vibrations du sol (ou de l'air) causées par la marche (ou le vol) d'une proie. Mais je n'ai pas d'oreille classique avec un tympan.

- Mes pattes sont au nombre de huit. J'ai aussi deux sortes de « bras », à l'avant de ma tête : les pédipalpes. Ils servent, entre autres, à maintenir ma victime.

- Mes chélicères, crochets verticaux situés devant ma bouche, creusent mon terrier, lacèrent ma victime et lui injectent du venin. Celui-ci est rarement mortel pour l'homme.

- Mes fils de soie sortent par l'arrière de mon corps. Ils servent surtout à la fabrication d'une espèce de « chaussette » qui tapisse l'intérieur de mon terrier.

L'axolotl

Ce drôle de têtard rose est un adulte. Même si son corps est resté celui d'un enfant ! Le plus bizarre : il peut quand même avoir des petits !

Il ressemble aux monstres gentils des dessins animés japonais ! Pourtant, il est bien réel. Et fait partie de la famille des salamandres, ces sortes de grosses grenouilles allongées à peau gluante, souvent aussi à l'aise dans l'eau que sur la terre. Sauf… que le petit axolotl est resté coincé au stade têtard ! Sa croissance s'est arrêtée net ! Il garde pour toujours ses drôles de plumeaux rouges pour respirer sous l'eau. Ses minipattes de larve. Sa crête aplatie qui se prolonge jusqu'au cou. Et sa fine peau de bébé. Tandis que les autres têtards se métamorphosent au bout de quelques mois en se débarrassant de cet attirail de gamin. Ils le remplacent par une bonne paire de poumons, pour respirer hors de l'eau. Un gros corps aux pattes puissantes. Et une peau plus épaisse. Comment l'axolotl peut-il se reproduire s'il reste un bébé toute sa vie ? C'est étrange, mais il n'a pas besoin de métamorphose. Son petit corps juvénile possède déjà des organes génitaux qui fonctionnent parfaitement. Seul hic : ses petits resteront des larves toute leur vie, exactement comme lui. À moins que… Des chercheurs ont remarqué que l'axolotl manquait d'hormones. Ce sont des substances que beaucoup d'animaux fabriquent et qui sont indispensables à la croissance. Ils ont essayé de lui en injecter et… miracle ! L'axolotl a perdu ses branchies et s'est transformé en salamandre !

NOM SAVANT
Ambystoma tigrinum.
SURNOM
Axolotl.
ADRESSE
Uniquement le lac Xochimilco, à 2 300 m d'altitude, près de Mexico, au Mexique, en Amérique centrale.
TAILLE
10 à 20 cm.
CATÉGORIES
Vertébrés, amphibiens (comme les grenouilles), urodèles (comme les salamandres).
SIGNE DISTINCTIF
Reste une larve toute sa vie.
SITUATION DE FAMILLE
Solitaire (sauf pour la reproduction).
MENU
Plancton, vers, larves d'insectes, petits crustacés.
HOBBY
Nager calmement.
REPRODUCTION
Fécondation interne. Le mâle dépose une capsule contenant son sperme sur la femelle, près du cloaque. Celle-ci aspire cette capsule et pond ensuite des dizaines d'œufs.

BLOC-NOTES

● Mes branchies ressemblent à de grandes plumes rouges. Elles extraient l'oxygène de l'eau et je respire sous l'eau comme les poissons.

● Mes pattes avant et arrière sont petites et minces. On dirait des bras de têtard ! Normal, je n'ai pas fini ma croissance !

● Ma peau lisse est noire dans la nature. Mais, en captivité, je peux aussi être gris, tacheté de noir et de blanc, ou albinos comme sur la photo.

● Mon petit ventre rebondi, mes yeux cernés de noir et ma bonne bouille séduisent beaucoup : je suis très apprécié comme animal de compagnie dans les aquariums !

Le gecko à queue plate

Il n'a rien à envier aux super-héros de dessins animés : il sort la nuit, grimpe aux murs, possède des yeux hypnotiseurs et devient presque invisible !

Mieux que Spiderman ! Avec ses pattes adhésives, le gecko grimpe sur les murs, les vitres, et peut même marcher au plafond ! C'est d'ailleurs ce qu'il fait parfois dans les chambres… Les touristes poussent alors de hauts cris en le découvrant, immobile, au-dessus de leur lit ! Il faut dire que les yeux de certains de ces lézards, comme le gecko à queue plate, donnent vraiment la chair de poule. On dirait un œuf brouillé barré d'une inquiétante ligne noire ! Les insectes qui passent en sont carrément hypnotisés ! Et oublient de fuir quand ce petit monstre nocturne se jette sur eux pour les gober. Après un petit en-cas, le gecko n'oublie jamais de se lécher les yeux. Un bon coup de langue pour les nettoyer ! Dégoûtant ? Peut-être, mais il est bien obligé de procéder ainsi vu qu'il n'a pas de paupières mobiles. Il doit se contenter d'écailles transparentes, une sur chaque œil, comme une paire de lentilles impossible à retirer. Quant au dernier super-pouvoir du gecko, c'est le don du camouflage. Sa peau brun-vert se confond parfaitement avec l'écorce des arbres. Autour de son corps, une petite frange d'écailles rend l'illusion absolument parfaite sur certains troncs. Lorsqu'il s'y aplatit comme une crêpe, il devient quasiment invisible !

Vraiment bizarre...

Chez certaines espèces de gecko, le sexe des petits dépend… de la température ! S'il fait moins de 31 °C, les œufs donnent tous des femelles. Mais si le thermomètre a des vapeurs, il n'y aura que des mâles !

BLOC-NOTES

● Mes doigts sont couverts de coussinets au pouvoir adhésif incroyable. Leurs millions de filaments s'agrippent partout comme les bandes de Velcro de nos vêtements.

● Ma queue ressemble à une grosse feuille qui attire l'attention de l'ennemi. Pendant ce temps, je me sauve à toutes pattes !

● Ma peau brun-vert sur le dos imite l'écorce des arbres. Quand je m'aplatis sur certains troncs, impossible de m'apercevoir !

● Mes yeux ont une pupille verticale (ligne noire au centre). C'est souvent le cas chez les animaux qui, comme moi, vivent surtout la nuit.

NOM SAVANT
Uroplatus fimbriatus.

SURNOM
Gecko à queue plate.

ADRESSE
Les forêts tropicales de l'île de Madagascar, au large de l'Afrique.

TAILLE
20 cm environ.

CATÉGORIES
Vertébrés, reptiles (lézards).

SIGNE DISTINCTIF
Des "pouvoirs" de super-héros.

SITUATION DE FAMILLE
Solitaire (sauf pour la reproduction).

MENU
Araignées, papillons, mille-pattes et insectes croustillants.

HOBBY
Les balades au plafond.

REPRODUCTION
Fécondation interne par accouplement. La femelle pond un ou deux gros œufs à coquille très dure.

Le dendrobate

**Très mignonne, cette grenouille de trois centimètres...
Elle appartient pourtant à la famille des amphibiens les plus
toxiques de la planète !**

Pas touche à cette jolie grenouille bleue ! Elle fait partie des animaux les plus venimeux du monde. Les Indiens d'Amérique du Sud en utilisent d'ailleurs pour empoisonner les pointes de leurs flèches : très efficace pour les parties de chasse aux singes. Ou même pour régler les petits problèmes de voisinage avec les tribus rivales… Car le poison fabriqué par la peau de certains dendrobates est si toxique qu'il suffit d'une goutte microscopique pour tuer un homme ! S'enduire de venin, c'est la seule façon de se défendre pour ces minuscules grenouilles aux pattes frêles. Nulles en saut en hauteur, pas assez rapides pour fuir, elles préfèrent se rendre inconsommables ! En prenant soin d'avertir ceux qui veulent les croquer par leurs couleurs vives : rouge, vert, bleu, orangé, noir, marron, doré et même rose. Elles sont aussi devenues de plus en plus toxiques au fil des millénaires. Bien obligées ! Certains de leurs prédateurs, comme ces durs à cuire de serpents, avaient acquis une immunité à leur poison ! Quant à leurs bébés, non venimeux, ils sont des proies encore plus faciles. Le mâle veille donc sur les œufs comme sur un trésor inestimable. Juste avant l'éclosion, il transporte ses petits têtards sur son dos jusqu'à un point d'eau où ils finiront leur croissance. Mais il prend bien soin de les déposer dans des lieux différents. Car ces petits mignons sont des carnivores aux tendances cannibales qui n'hésitent pas à dévorer leurs frères et sœurs !

Vraiment bizarre...

Chez le dendrobate vert, c'est la femelle qui prend l'initiative de la reproduction. Elle incite le mâle à se préparer à féconder ses œufs en… lui frappant brutalement le dos avec ses pattes arrières ! Allez, chéri, au boulot !

BLOC-NOTES

● Ma peau fabrique du poison. Celui de ma cousine de Colombie, la kokoï, est l'un des plus puissants du monde : un gramme suffit, en théorie, pour tuer cent mille hommes !

● Mes pattes sont assez courtes et frêles pour une grenouille : je ne suis pas la championne du saut en longueur…

● Mes coussinets, petits disques adhésifs au bout des doigts, me permettent de me cramponner sur les surfaces lisses et verticales. Je grimpe bien aux arbres.

● Mes cordes vocales produisent une sorte de « bzzzz », proche d'un bruit de néon de mauvaise qualité, pour attirer la femelle pendant la période de reproduction.

NOM SAVANT
Dendrobatidae (cette famille regroupe une centaine d'espèces).
SURNOM
Dendrobate.
ADRESSE
Le sol des forêts pluviales d'Amérique centrale et d'Amérique du Sud.
TAILLE
2 à 5 cm.
CATÉGORIES
Vertébrés, amphibiens, anoures.
SIGNE DISTINCTIF
Sécrète un poison parfois mortel.
SITUATION DE FAMILLE
Certaines espèces vivent en couple. Solidaires, le mâle et la femelle font alors équipe pour défendre leur territoire.
MENU
Pucerons, grillons, mouches et autres petits insectes.
HOBBY
Se réchauffer au soleil.
REPRODUCTION
Fécondation externe. La femelle pond une grappe d'une dizaine d'œufs. Le mâle les féconde dès leur sortie.

Le tarsier

**Cette étrange créature à l'air ébahi supporte mal la lumière.
Mais, dans la nuit, sa drôle de tête fait vraiment froid dans le dos !**

Ses yeux sont absolument énormes ! Chacun d'eux pèse aussi lourd que son cerveau ! Mais le plus inquiétant, c'est lorsqu'il veut regarder ailleurs. Parce que ses gros yeux sont fixes et ne peuvent pratiquement pas bouger dans leurs orbites. Il se met donc à tourner la tête de tous les côtés. Et peut faire tout un demi-tour sans problème ! Il se retrouve souvent ainsi, agrippé à un tronc d'arbre, avec son effrayante tête… dans le dos. Pire que dans un film d'horreur ! Mais, si ce petit primate cousin éloigné des singes possède des yeux si étranges, ce n'est pas pour jouer les démons de minuit. C'est pour voir la nuit. Ses mirettes fonctionnent donc comme celles de la plupart des autres animaux nocturnes. Au centre, il y a la pupille : c'est un trou noir, au milieu de l'iris orangé. La nuit, elle s'ouvre au maximum afin de laisser entrer le plus de lumière possible dans l'œil. Le but est de capter les moindres rayons disponibles et d'y voir clair, même dans la pénombre.

Il peut ainsi scruter le sol à la recherche d'insectes sur lesquels bondir pour les attraper de sa main griffue. Mais, au matin, c'est une autre histoire. Dans ses gros yeux hypersensibles, la lumière du jour est aussi aveuglante qu'un flash d'appareil photo. Alors, zip ! On ferme ! Sa pupille se réduit à un minuscule petit trou. Et le tarsier n'y voit plus grand chose. Ses yeux ressemblent alors à deux abricots bien mûrs !

Vraiment bizarre...

Malgré sa petite taille, il fait des bonds de 2 m ! Car, sous son petit corps trapu, il cache des jambes repliées et démesurément longues : de vraies pattes de sauterelle ! Sans parler de ses grands pieds griffus : au moins du « 44 fillette » ! Ils sont aussi longs que ses cuisses !

BLOC-NOTES

● Mes mains ont cinq longs doigts habiles pour attraper les insectes. Mes griffes pointues me permettent de bien grimper aux arbres.

● Mes oreilles sont très sensibles. Dès que je capte un bruit, j'oriente leurs pavillons et je tourne la tête dans la bonne direction avant d'ouvrir mes gros yeux.

● Mes yeux orangés ont une pupille capable de s'ouvrir largement pour y voir clair la nuit. Mais elle se ferme presque complètement le jour.

● Ma queue est plus longue que mon corps. Elle sert de balancier quand je saute d'arbre en arbre.

NOM SAVANT
Tarsius bancanus.
SURNOM
Tarsier.
ADRESSE
Les forêts des îles de Sumatra et de Bornéo, en Indonésie, en Asie du Sud-Est.
TAILLE
10 à 15 cm (plus une queue de 20 à 25 cm).
CATÉGORIES
Vertébrés, mammifères, primates.
SIGNE DISTINCTIF
Peut voir dans son dos.
SITUATION DE FAMILLE
En couple. Ils élèvent leurs petits.
MENU
Des insectes, des larves, mais aussi des lézards et des oiseaux parfois plus gros que lui !
HOBBY
Le saut.
REPRODUCTION
Fécondation interne par accouplement. La femelle porte le petit dans son ventre et l'allaite, comme chez les humains.

Le tatou velu

Un vrai char d'assaut sur pattes ! Son armure le protège des pieds jusqu'à la queue, ou presque. Et, pour le reste, il a plus d'un tour dans son sac...

Sa carapace le couvre des fesses jusqu'au museau, il a même un casque sur la tête ! Seul son petit ventre reste à l'air libre... Comment protéger cette partie si sensible ? Un fauve pourrait y mordre à pleines dents après l'avoir renversé sur le dos ! Pas de panique ! Son bouclier n'a heureusement rien d'une vulgaire coquille rigide. Sinon, il serait raide comme un piquet. Il s'agit en réalité de rangées de plaques dont certaines sont mobiles les unes par rapport aux autres. Ces 18 bandes forment donc une armure articulée qui offre au tatou velu une certaine souplesse. Il peut carrément se rouler en boule. Résultat : un ballon de foot blindé ! Impossible de le dérouler ! Aussi énervant que de se retrouver devant une boîte de conserve sans ouvre-boîte ! L'autre technique de défense, c'est la fuite. Certains tatous creusent à toute vitesse et s'enterrent en quelques secondes pour se mettre à l'abri. Hop ! Disparu ! Entre les parties de foot et celles de cache-cache, les prédateurs du tatou deviennent complètement mabouls... Ce petit farceur s'amuse même à leur jouer un autre tour : roulé sur le dos, il entrouvre sa cuirasse et attend qu'un imprudent vienne y fourrer son museau. Et couic ! Il le pince en se fermant brutalement !

BLOC-NOTES

● Mon corps est couvert de rangées de plaques. Elles sont reliées par une bande de peau souple et peuvent ainsi bouger les unes par rapport aux autres.

● Mes gros poils dépassent entre mes plaques. Les autres sortes de tatou en ont moins : je suis le plus poilu de tous !

● Mes puissantes pattes griffues me permettent de m'enterrer en quelques secondes chrono !

● Ma longue langue gluante attrape les insectes quand je fourre mon museau dans la terre. Je dois baver comme un fou pour bien l'humidifier !

NOM SAVANT
Chaetophractus villosus.
SURNOM
Tatou velu.
ADRESSE
Un terrier, dans les grandes plaines sèches d'Amérique du Sud. En été, il sort la nuit et dort le jour.
TAILLE
20 à 40 cm (mais jusqu'à 1,50 m pour le tatou géant).
CATÉGORIES
Vertébrés, mammifères, xénarthres (comme le paresseux et le tamanoir).
SIGNE DISTINCTIF
Blindé comme un char d'assaut.
SITUATION DE FAMILLE
Solitaire ou en couple.
MENU
Des fruits, des vers et des petits rongeurs.
HOBBY
Se rouler en boule.
REPRODUCTION
Fécondation interne par accouplement. La femelle porte deux petits dans son ventre et les allaite, comme chez les humains.

Le colobe guéréza

Ce singe noir et blanc possède un estomac en béton qui lui permet de venir à bout de la nourriture coriace dont il se gave.

Il a un estomac de vache ! Ou presque ! Celui des ruminants a quatre compartiments et le sien en a trois. Ce qui est tout de même trois fois plus grand que celui des autres singes ! Pourquoi a-t-il un si vaste et si compliqué bidon ? Il n'est pourtant pas bien gros, ce colobe… C'est à cause de son régime végétarien. Il ne mange que des feuilles, assis à 40 m de haut dans la cime de l'arbre où il habite. Or, ces crudités sont très difficiles à digérer. Et surtout, elles ne sont pas très nourrissantes. Il faut donc tirer le maximum de ces fibres. Voilà pourquoi un estomac complexe s'impose ! Les deux premiers compartiments contiennent des bactéries. Ces micro-organismes nous collent parfois la fièvre quand on en attrape. Mais ceux du colobe, comme ceux de la vache et du chameau, sont spécialisés dans l'attaque de la nourriture. Les feuilles sont décomposées et réduites en bouillie. Il ne reste plus qu'à finir le travail dans le dernier compartiment. Histoire de chercher encore quelque chose d'intéressant à digérer dans l'infâme bouillie. Au final, à partir d'une même ration de feuilles, le colobe tire deux fois plus d'éléments nourrissants que les autres singes. Mais ce mic-mac prend du temps et donne des ballonnements ! Pas étonnant qu'il soit bien plus calme que la plupart de ses cousins primates : surtout, pas trop d'agitation, ça perturbe la digestion…

Vraiment bizarre…

Ses mains n'ont pas de pouces !
Maladroit, il préfère tirer les rameaux de feuilles vers sa bouche pour les arracher avec ses dents.
Assis tranquillement dans la cime d'un arbre, il « broute » !
Et quand il a «fini» celui où il habite, il déménage !

BLOC-NOTES

● Mon estomac possède trois compartiments. Les deux premiers servent à la fermentation des feuilles et facilitent la fin de digestion dans le troisième.

● Ma fourrure est noire, sauf sur mes joues, ma barbe, le bout de ma queue et mes flancs, qui sont blancs. À la naissance, mes petits sont entièrement blancs.

● Mes mains n'ont pas de pouces. Elles sont donc bien moins habiles que celles des autres singes pour attraper et saisir.

● Mes bras et mes jambes s'écartent comme pour un vol plané quand je me laisse tomber sur 15 m, depuis la cime vers des branches plus basses.

NOM SAVANT
Colobus guereza.

SURNOM
Colobe guéréza.

ADRESSE
La cime des arbres, dans les forêts du Nigéria, du Cameroun, de l'Ouganda, en Afrique centrale. Il ne descend presque jamais au sol.

TAILLE
Environ 55 cm (plus une queue de 50 à 80 cm).

CATÉGORIES
Vertébrés, mammifères, primates (singes).

SIGNE DISTINCTIF
Pas de pouces, un estomac qui ressemble à celui des ruminants.

SITUATION DE FAMILLE
Le mâle vit entouré de quelques femelles avec lesquelles il a des petits.

MENU
Fruits, feuilles, écorces et quelques insectes.

HOBBY
Le saut dans le vide.

REPRODUCTION
Fécondation interne par accouplement. La femelle porte le petit dans son ventre et l'allaite, comme chez les humains. Les autres femelles du groupe s'occupent aussi du bébé et remplacent la mère si elle meurt.

Le maki catta

Un coup de queue puante sur le pif, ça calme ! Ce petit lémurien, gracieux comme un chat, se dispute en effet à coups d'odeur.

Se rouler par terre, se griffer, se mordre : ça fait mal… Pour se battre, les maki catta préfèrent les combats de… puanteur ! Ils utilisent les glandes de leurs bras, car le liquide qu'elles fabriquent est une véritable infection ! Plus nauséabond qu'une usine de boules puantes ! Ils n'ont qu'à frotter dessus leur longue queue en forme de point d'interrogation pour obtenir une arme repoussante, à agiter sous le nez des enquiquineurs de tous poils. En particulier d'autres makis catta qui menacent de s'emparer de leur territoire. Et si les intrus ne veulent pas déguerpir, pas de quartier ! Ils les frappent plusieurs fois sur le front avec leur queue puante ! C'est l'asphyxie… K.O. à coups d'odeur ! Cette écœurante pratique fait des ravages surtout au mois d'avril, à la saison des amours. Car les mâles se disputent pour entrer dans un groupe de femelles et se reproduire avec elles. Ils vagabondent donc de groupe en groupe, jouant des coudes et tentant l'incruste, tandis que les femelles, toujours prioritaires sur la nourriture et le choix de leur compagnon, mènent le jeu. Mais parfois, c'est la corrida entre elles aussi. Elles doivent se battre pour éviter d'être rejetées du groupe. À part ça, l'entente règne. Contrairement à ce qui se passe chez d'autres animaux, les femelles s'échangent leurs petits sans état d'âme. Et organisent même des groupes de jeu. Très au point, le baby-sitting chez les makis !

BLOC-NOTES

● Ma queue striée d'anneaux noirs et blanc est très reconnaissable. Il me suffit de la dresser pour me faire repérer des autres makis. Elle me sert aussi pour livrer des combats de puanteur.

● Mes étonnants yeux orangés sont entourés de taches noires triangulaires, au-dessus de mon « museau de chien ».

● Mon poignet porte une glande qui fabrique un liquide puant. Lorsque je perce l'écorce des arbres avec mon doigt griffu, je marque ainsi mon territoire par un signe à la fois visuel et odorant.

● Mes pattes agiles me permettent de faire des sauts de plus de dix mètres d'arbre en arbre.

● Mes doigts habiles, aux mains comme aux pieds, sont capables de saisir feuilles et insectes.

NOM SAVANT
Lemur catta.

SURNOM
Maki catta.

ADRESSE
Les forêts tropicales de l'île de Madagascar, au large de l'Afrique. Il partage son temps entre le sol et les branches des arbres.

TAILLE
40 à 50 cm (plus une longue queue de 60 cm).

CATÉGORIES
Vertébrés, mammifères, primates (lémuriens).

SIGNE DISTINCTIF
Il combat à coups de puanteur.

SITUATION DE FAMILLE
Les femelles et leurs petits vivent en bande d'une vingtaine. Les petites catta vieillissent auprès de leur mère. Mais les mâles adultes vagabondent de groupe en groupe.

MENU
Fruits, feuilles, fleurs, écorces et sève, parfois des insectes.

HOBBY
Prendre un bain de soleil le matin, avant le petit déjeuner.

REPRODUCTION
Fécondation interne par accouplement. La femelle porte le petit dans son ventre et l'allaite, comme chez les humains.

Le paresseux à trois doigts

**Cette boule de poils est l'un des animaux les plus lents du monde !
Il passe sa vie quasi immobile, suspendu par les pieds, la tête en bas...**

Quand on regarde un paresseux, on a l'impression que quelqu'un a appuyé sur la touche « ralenti » du magnétoscope… D'ailleurs, les mesures sont formelles : au sol, il est parfois plus lent qu'un escargot ! Peu adapté à la marche, il se traîne carrément sur le ventre. Au top de sa forme, il lui faut dix bonnes secondes pour parcourir un malheureux mètre en tirant la langue… Dans les branches où il passe le plus clair de son temps, il n'est pas tellement plus rapide. Souvent immobile, il reste suspendu la tête en bas, solidement accroché grâce à ses trois longues griffes. Parfois, il se suspend en arc de cercle, comme un hamac ! Il dort, se nourrit, s'accouple et fait naître ses petits dans ces positions acrobatiques. De toute façon, quand on est aussi lent,

la seule stratégie pour rester en vie, c'est d'éviter de bouger pour ne pas attirer l'attention de ses ennemis. Il ne prend donc le risque de descendre de son arbre qu'une fois par semaine pour… faire ses besoins ! Ce n'est pas un problème, vu que la digestion d'un repas lui prend parfois plus d'un mois ! Ce champion des économies d'énergie ne fait bien sûr jamais un geste inutile. Il est tellement impassible que des papillons pondent dans sa fourrure ! Sans jamais craindre un coup de patte de l'animal !

Vraiment bizarre...

La peau du paresseux se craquèle. Du coup, des algues s'y développent et lui donnent une drôle de couleur verdâtre, idéale pour se camoufler dans les arbres. Les aigles et les jaguars le prennent souvent pour un gros tas de feuilles !

BLOC-NOTES

● Mon pelage touffu est infesté de dizaines de papillons, de centaines de coléoptères et d'innombrables acariens !

● Ma miniqueue rigide sert à creuser le trou où je dépose mes excréments, une fois par semaine. Je me déleste alors quasiment du tiers de mon poids !

● Mon visage possède des muscles assez peu développés. C'est pour ça que j'affiche toujours une espèce de sourire un peu niais...

● Mon cou a neuf vertèbres, c'est le record chez les mammifères. Je peux ainsi tourner la tête à 270° et voir ce qui se passe derrière sans me fatiguer à me retourner...

Attention !

Le paresseux à trois doigts est un animal en voie de disparition !

NOM SAVANT
Bradypus torquatus.

SURNOM
Aï, paresseux à trois doigts.

ADRESSE
Les arbres des forêts tropicales du Brésil, en Amérique du Sud.

TAILLE
50 cm environ (plus une miniqueue de 4 cm).

CATÉGORIES
Vertébrés, mammifères, xénarthres (comme le tatou et le tamanoir).

SIGNE DISTINCTIF
Une lenteur d'escargot.

SITUATION DE FAMILLE
Solitaire (sauf pour la reproduction).

MENU
Feuilles, brindilles, bourgeons et fruits, du moment qu'il ne faut pas faire trop d'efforts pour les attraper.

HOBBY
Rester immobile, la tête à l'envers.

REPRODUCTION
Fécondation interne. Le mâle et la femelle s'accouplent dans les arbres, face à face, toujours pendus par les pieds ! La femelle porte le petit dans son ventre et l'allaite, comme chez les humains.

Le ratel

Quoi ? Qu'est que tu as, toi ? Cette espèce de blaireau a un caractère épouvantable ! Mais il sait collaborer quand il s'agit de trouver son plat préféré...

Une vraie tête brûlée ! Le ratel n'a peur d'aucun animal, même s'il est plus grand que lui. Il attaque comme un sauvage de jeunes buffles ou des serpents. Sous sa fourrure, sa couche de graisse insensible à la douleur le protège de la plupart des morsures. Sa peau élastique lui permet aussi de se retourner presque complètement lorsqu'une grosse brute l'attrape par le dos : surprise ! Un bon coup de dent et l'agresseur lâche prise sans demander son reste ! Mais, pour obtenir le miel, dont il raffole, il sait se montrer coopératif. Il collabore avec l'indicateur, petit oiseau africain très friand de cire d'abeille. Trop gros pour entrer dans les nids sauvages, l'« indic » pousse un cri particulier pour attirer l'attention du ratel. Le blaireau lui signale qu'il accepte de devenir son complice par des grognements. Il suit ensuite l'oiseau qui le guide parfois sur plus de deux kilomètres. Quand l'indicateur se perche et lance un nouveau cri, c'est le signal : le nid d'abeilles est là. Le ratel s'y attaque comme un bulldozer et l'ouvre d'un coup de griffe. Sa couche de gras le protège des piqûres si les abeilles ripostent. C'est alors qu'il utilise son arme absolue en collant son arrière-train sur l'ouverture du nid : une véritable attaque toxique ! Sortez les masques à gaz ! Car le liquide que ses glandes anales sécrètent est d'une puanteur terrible ! Les abeilles battent en retraite. Il ne reste plus au ratel qu'à se gaver de miel. L'indicateur descend ensuite se servir dans les gravats, après le départ de la petite brute.

BLOC-NOTES

● Mes pattes sont armées de puissantes griffes. Elles me servent à grimper aux arbres, creuser, ouvrir les ruches et mettre en pièces n'importe quelle bestiole dont la tête ne me revient pas !

● Ma couche de graisse, entre ma fourrure et mes muscles, est insensible à la douleur. Elle me sert d'armure flasque contre les morsures et les piqûres d'abeilles.

● Ma mâchoire est large et extrêmement solide, compte tenu de ma petite taille. Si je me sens menacé, je hurle, la gueule ouverte, en hérissant les poils.

● Mon dos blanc me donne l'air d'être passé sous un rouleau de peinture fraîche.

NOM SAVANT
Mellivora capensis
SURNOM
Ratel.
ADRESSE
Les forêts, les montagnes, les déserts, un peu partout dans le sud de l'Afrique, et dans plusieurs pays d'Asie comme l'Inde ou l'Irak.
TAILLE
60 à 80 cm (plus une queue de 20 à 30 cm).
CATÉGORIES
Vertébrés, mammifères, carnivores, mustélidés.
SIGNE DISTINCTIF
Collabore avec l'Indicateur, oiseau friand de cire d'abeille.
SITUATION DE FAMILLE
Solitaire ou en couple.
MENU
Tubercules, vers et termites déterrés du sol. Scorpions, lièvres, et même des serpents et des porcs-épics. Et du miel !
HOBBY
Chercher des noises aux autres animaux.
REPRODUCTION
Fécondation interne par accouplement. La femelle porte un ou deux petits dans son ventre et les allaite, comme chez les humains.

Le requin-marteau

On dirait qu'il a reçu un piano à queue sur le nez ! Pourtant, cette drôle de tête améliore beaucoup ses capacités de chasseur vorace...

Avec sa tête aplatie au bout de son corps allongé, il ressemble vraiment à un marteau ! Mais cette silhouette étrange présente de nombreux avantages. D'abord, ses narines se retrouve chacune à l'autre bout de la tête. Du coup, son odorat est encore plus perfectionné : il sait immédiatement si la goutte de sang qu'il a sentie sur des dizaines de mètres se trouve à gauche ou à droite ! Idem pour ses gros yeux dont chacun regarde d'un côté différent : le champ de vision est énorme ! Enfin, sa tête l'aide à résoudre ses sérieux problèmes de poids... Les requins sont peu volumineux, mais très lourds. Car il leur manque la poche de gaz, sorte de flotteur, que les autres poissons ont dans leurs entrailles. Les squales ont tout de même un énorme foie rempli d'huile, plus légère que l'eau, qui leur évite de couler à pic. Mais le requin-marteau a un atout en plus. Sa tête aplatie l'aide à remonter, lorsqu'il se propulse avec sa queue, car elle « plane » dans l'eau comme une aile dans l'air. Finalement c'est pratique d'être complètement « marteau » ! Heureusement, les petits n'ont pas encore la tête trop élargie à la naissance et les côtés sont repliés. Sinon, les faire passer par l'orifice de la mère serait un vrai... casse-tête !

Vraiment bizarre...

La plupart des requins doivent nager en permanence, sinon ils s'étouffent ! Car leurs branchies, qui filtrent l'eau pour en tirer de l'oxygène, ne sont pas aussi perfectionnées que celles des autres poissons. Pour que l'eau passe dedans, ils sont obligés d'avancer !

BLOC-NOTES

● Mon corps en forme de torpille, avec ma nageoire dorsale triangulaire, est idéal pour fendre les flots à plusieurs km/h. Mais le champion est le requin mako : il accélère jusqu'à 100 km/h !

● Ma peau n'a pas d'écailles, comme celles des poissons ordinaires, mais plutôt des sortes de « dents » aplaties ! L'eau s'écoule mieux dessus : je nage sans faire de turbulences et en silence...

● Mes dents pointues ne sont pas soudées à ma mâchoire ! Quand elles sont abîmées, il y a toujours une nouvelle rangée, derrière, qui avance comme un « tapis roulant » pour les remplacer !

● Ma tête est couverte de capteurs. Ils détectent les micro-courants électriques que produisent tous les poissons. Ainsi, je peux même trouver une sole cachée sous le sable !

NOM SAVANT
Sphyrna lewini (espèce connue pour attaquer l'homme).
SURNOM
Requin-marteau halicorne.
ADRESSE
Les eaux côtières du monde entier, sauf aux pôles, et surtout dans les zones tropicales.
TAILLE
Jusqu'à 4 mètres !
CATÉGORIES
Vertébrés, poissons cartilagineux.
SIGNE DISTINCTIF
Ressemble à un marteau.
SITUATION DE FAMILLE
Il vit en banc d'une centaine d'individus.
MENU
Sardines, hareng, raies venimeuses, et d'autres petits requins !
HOBBY
La natation.
REPRODUCTION
Fécondation interne. Le mâle introduit son sperme avec une nageoire spéciale dans l'orifice de la femelle. Elle porte ensuite 15 à 30 petits qui naissent prêts à nager et à chasser.

Le colibri

Cet oiseau minuscule, qui butine les fleurs comme un insecte, détient un record de vitesse de battements d'ailes : une petite merveille de miniaturisation !

As du vol acrobatique, le colibri est le seul oiseau capable de faire du sur-place et de voler en arrière ! Il réalise ces figures aériennes grâce à ses ailes qui battent à très grande vitesse. Mais aussi grâce à une technique utilisée par les hélicoptères. Ces machines sont en effet capables de monter puis de descendre, alors que l'hélice tourne toujours dans le même sens : il suffit pour cela d'incliner leurs longues pales. De la même façon, les ailes du colibri décrivent toujours des boucles en « 0 ». Mais il change leur inclinaison. Cela suffit pour passer en un clin d'œil de la marche avant à la marche arrière ! Et même au vol stationnaire ! Il peut ainsi voler vers une fleur et s'y arrêter, en l'air, le temps d'y puiser une rasade de nectar. Ensuite, il se dégage en reculant et continue sa tournée ! Le plus étonnant de ces oiseaux est le colibri d'Hélène. Poids plume de la famille, il est aussi le plus petit oiseau du monde : le mâle pèse 1,6 g et mesure 5 cm ! Il bat des ailes à la vitesse ébouriffante de 80 fois par seconde ! Seuls des insectes, comme le moucheron et le moustique, sont capables de faire mieux. C'est si rapide que cela produit une sorte de vrombissement : on jurerait voir passer un petit bolide à moteur ! Bien sûr, quand on dépense autant d'énergie, il faut reprendre des forces pour continuer à carburer. Le colibri visite donc des centaines de fleurs afin d'ingurgiter chaque jour l'équivalent de son propre poids ! Pour manger autant, un homme devrait avaler quotidiennement 80 kg de bœuf bourguignon !

Vraiment bizarre...

Certains colibris migrent chaque année du Mexique au Canada et parcourent plus de 3 000 km ! Ils franchissent d'une traite le golfe du Mexique lors d'un vol sans escale de 850 km ! C'est un voyage absolument énorme pour un si minuscule animal !

NOM SAVANT
Mellisuga helenae (il existe des dizaines d'autres espèces, dont celle photographiée ici).

SURNOM
Colibri d'Hélène.

ADRESSE
La forêt tropicale, uniquement sur l'île des Pins, à Cuba, dans l'océan Atlantique. Cette espèce ne migre pas.

TAILLE
5 cm.

CATÉGORIES
Vertébrés, oiseaux.

SIGNE DISTINCTIF
Il est le plus petit oiseau du monde.

SITUATION DE FAMILLE
La femelle s'occupe seule des œufs et de l'élevage des petits. Le mâle vit seul.

MENU
Du nectar, puisé dans les fleurs qu'il butine. Parfois des petits insectes avalés avec le nectar.

HOBBY
La voltige aérienne.

REPRODUCTION
Fécondation interne par accouplement. La femelle pond ensuite deux œufs de la taille d'un petit pois.

BLOC-NOTES

● Mon plumage, souvent vert, offre parfois d'éclatants reflets métalliques rouges sur ma tête et mon cou.

● Mes ailes ont une articulation un peu spéciale : le « coude », très près du corps, est très flexible. Je peux donc les incliner pour voler en avant, sur place, ou à reculons !

● Mon long bec se fiche dans les fleurs. Puis ma longue langue fouille pour recueillir le nectar dont je me nourris.

● Mon corps est minuscule, mais mes muscles me permettent de battre des ailes jusqu'à 80 fois par seconde ! C'est pour cela qu'on m'appelle souvent l'« oiseau-mouche ».

La mante religieuse

Étrange insecte à la tête d'« extraterrestre » ! Ses deux pattes avant sèment la mort... Elle n'épargne aucun insecte, pas même son compagnon du moment !

C'est une vraie tueuse en série. La terreur du peuple de l'herbe. Pour opérer discrètement, elle porte une tenue de camouflage, variable selon les espèces. La plus courante est la robe verte, toute bête, idéale dans les hautes herbes. Il y a aussi la parure brune, façon feuille morte ou brindille. Et enfin, les bourrelets colorés, pour imiter les fleurs et attirer les insectes buveurs de nectar. Pour le reste, elles procèdent toutes de la même façon. À l'affût, presque immobile, les pattes avant jointes, la mante fixe sa proie qui ne se doute de rien... Et hop ! Elle se jette dessus en refermant ses pinces acérées sur sa victime ! Bon appétit ! Quant au mâle qui voudrait s'accoupler avec elle, il doit se tenir à carreau. Toujours plus petit, il s'approche doucement par-derrière et lui saute sur le dos. Un petit effleurement d'antennes pour l'amadouer... Parfois, ça marche. La femelle continue à chasser pendant l'accouplement, gardant le mâle sur le dos. Mais gare si elle passe une de ses pattes autour du cou du petit monsieur... ! Couic ! Elle le décapite ! Bizarrement, même après avoir perdu la tête, le mâle continue à féconder la femelle ! Du moins jusqu'à ce qu'elle le dévore tout cru... Ensuite, comme après chaque repas, la mante nettoie ses armes avec soin. Elle enlève les lambeaux de chair de ses épines pour les garder parfaitement coupantes. Une grande professionnelle ! Brrr !

Vraiment bizarre...

Avec ses œufs, elle produit un liquide blanchâtre qu'elle remue vivement à l'aide de l'extrémité de son corps. Exactement comme on bat de la crème en chantilly ! En séchant, cette mousse durcit et protège les œufs des prédateurs qui s'y cassent les dents !

BLOC-NOTES

● Mon cou est très mobile. Je suis le seul insecte qui peut regarder derrière, en tournant mon effrayante tête triangulaire aux yeux saillants...

● Mes ailes servent surtout à intimider mes adversaires. Mes quatre pattes arrière me servent à marcher, lentement. Et mes deux pattes avant, à tuer !

● Mes pattes avant fonctionnent comme des pinces. Le fémur et le tibia sont garnis d'épines acérées et se replient l'un sur l'autre.

● Ma position habituelle évoque une « religieuse » : j'ai les pattes avant jointes, comme si je faisais ma prière du soir. D'où mon surnom !

NOM SAVANT
Mantodea (cet ordre regroupe près de 2 000 espèces).

SURNOM
Mante ou mante religieuse.

ADRESSE
N'importe quelle plante riche en insectes à croquer, partout dans le monde, surtout les pays chauds.

TAILLE
5 à 10 cm en général. Parfois 15 cm !

CATÉGORIES
Arthropodes (comme les crustacés et les araignées), insectes, *mantodea*.

SIGNE DISTINCTIF
Deux redoutables bras faucheurs.

SITUATION DE FAMILLE
Solitaire (sauf pendant l'accouplement).

MENU
Insectes, petites grenouilles, lézards, et même le futur père de ses enfants !

HOBBY
Prendre un bain de soleil.

REPRODUCTION
Fécondation interne par accouplement. La femelle pond ensuite trois à quatre cents œufs.

Le vampire

Prince des ténèbres, créature de cauchemar, cette chauve-souris ne se contente pas de nectar et de fruits comme ses banales cousines...

Le vampire est bien différent de ses cousines végétariennes, les chauves-souris. Car il boit vraiment du sang ! On se croirait dans un film sur Dracula ! Pour sortir, il attend la nuit. Grâce à une sorte de « radar », il vole dans une obscurité totale sans s'écraser le nez contre un arbre. Il se pose dans un champ ou près d'une habitation. Lorsqu'il repère une victime endormie, un jeune bovin, un chien ou même un homme, il sautille discrètement vers elle, attiré par les parties les plus chaudes. Normal, ce sont les plus gorgées de sang ! Narines, oreilles, lèvres, pieds ou mains pour les humains... c'est là qu'il plante ses incisives coupantes comme des lames de rasoir ! Il suce ensuite en une demi-heure près de 25 ml d'hémoglobine : autant que cinq prises de sang à la seringue quand on fait des analyses !

Et, pour que le sang reste fluide et coule bien de la plaie, sa salive contient même une substance anticoagulante ! Une fois gorgé de sang, il disparaît dans les ténèbres. Ni vu, ni connu. Comme ses victimes ne risquent pas de mourir, ce n'est, au fond, qu'un très gros « moustique » ! À moins qu'il ne porte le terrible virus de la rage qu'il transmet par sa morsure. Une épidémie peut alors décimer beaucoup de bétail...

Bon à savoir...

Le scientifique qui l'a découvert, en 1760, lui a bien sûr donné ce nom en référence aux monstres imaginaires des vieilles légendes d'Europe de l'Est.

BLOC-NOTES

● Mon « radar » fonctionne grâce à mes cris ultra-aigus. Ces ultrasons rebondissent sur les obstacles. À leur retour, mes oreilles les captent. Et cela m'indique la taille et la distance de ces obstacles.

● Mes « ailes » ne sont qu'une large peau qui relie mes pattes et mes bras : le patagium. Nous autres, chauves-souris, sommes les seuls mammifères capables de voler !

● Mes puissantes pattes me permettent une démarche agile. Et je m'envole en sautant à partir du sol. Alors que les autres chauves-souris doivent se laisser tomber d'un perchoir !

● Mon nez est court et aplati. Ainsi, il me gêne peu pour enfoncer profondément mes incisives dans la chair de mes victimes !

Vraiment bizarre...

Le petit se nourrit de lait. Mais, à deux mois, la mère ajoute à ce régime un peu de sang frais qu'elle régurgite ! Elle lui révèle ainsi sa vraie nature de vampire sanguinaire...

NOM SAVANT
Desmodus rotundus.

SURNOM
Vampire.

ADRESSE
Une grotte, un bâtiment abandonné ou un tronc creux, dans les forêts tropicales,
les prairies ou les jardins, du Mexique jusqu'au Brésil, en Amérique.

TAILLE
7 à 10 cm.

CATÉGORIES
Vertébrés, mammifères, chiroptères.

SIGNE DISTINCTIF
Il boit le sang de ses victimes.

SITUATION DE FAMILLE
Il vit en colonie d'une centaine ou plus. La femelle s'occupe seule de son petit.

MENU
Du sang frais, directement dans les veines des oiseaux, tapirs, vaches, parfois des chiens et même des hommes !

HOBBY
Sauter sur ses proies.

REPRODUCTION
Fécondation interne par accouplement. La femelle porte le petit dans son ventre et l'allaite, comme chez les humains.

Le manchot empereur

Chez ces oiseaux, incapables de voler, ce sont les mâles qui couvent les œufs ! Du coup, ils doivent rester quatre mois sans manger !

À l'automne, les manchots empereurs quittent l'océan où ils se gavaient de poissons frais : il est temps de faire des petits ! À la queue leu leu, par milliers, ils avancent lentement, avec un dandinement comique, vers l'intérieur des terres glacées. Après deux mois de randonnée sans manger, ils trouvent enfin un endroit sûr. Les couples se forment, chantant à tue-tête afin d'imprimer dans leur mémoire la voix de leur chéri. Car la séparation est proche ! Dès qu'elle a pondu, la femelle passe l'œuf au mâle et s'offre un congé de maternité longue durée. Elle regagne la mer pour rattraper tous les repas manqués et faire des réserves. Tandis que le mâle est encore bon pour deux mois de jeûne ! Presque sans bouger ! Car l'œuf, très fragile, doit éviter la glace. Papa le garde en équilibre sur ses gros pieds palmés et le réchauffe sous son duvet blanc. Comme le thermomètre chute souvent jusqu'à -50°C, les mâles restés au bercail se blottissent les uns contre les autres pour résister. Au printemps, la femelle revient enfin pour nourrir son petit. Mais, dans cette foule, tous semblent habillés de la même façon : on dirait un smoking noir sur une élégante chemise blanche. Une mère n'y retrouverait pas ses petits ! Ni son mari ! Heureusement, ils se souviennent de leurs chants d'amoureux et se reconnaissent grâce à de petits cris. À peine la famille réunie, c'est au tour du père, affamé, de partir se goinfrer en mer. Il va pouvoir récupérer en deux semaines les douze ou treize kilos perdus !

Vraiment bizarre...

Quand un couple de manchots se forme, ils restent collés l'un à l'autre pendant plus de trois semaines ! Après cette longue parade amoureuse, ils s'accouplent enfin, mais cela ne dure que...3 secondes ! Cœurs d'artichaut, ils changent de partenaires dès l'année suivante...

BLOC-NOTES

● Mes pattes sont minuscules ! Je marche en me balançant sur mes pieds palmés, mais ce n'est pas facile... Alors, dès qu'une pente se présente, je glisse sur mon ventre !

● Mon ventre abrite une couche d'air isolante, prise en sandwich entre une couche de plumes très serrées et une couche de graisse : un vrai manteau spécial grand froid !

● Mes ailes sont incapables de porter mon gros corps pour me faire voler. Mais, grâce à elles, je nage aussi bien à la surface que sous l'eau.

● Ma petite queue rigide et mes pattes servent de gouvernail quand je nage sous l'eau. Je peux rester en plongée plus de quinze minutes !

NOM SAVANT
Aptenodytes forsteri.

SURNOM
Manchot empereur.

ADRESSE
L'océan et la banquise, en Antarctique, au pôle Sud.

TAILLE
1,10 m à 1,30 m.

CATÉGORIES
Vertébrés, oiseaux.

SIGNE DISTINCTIF
C'est le mâle qui couve l'œuf.

SITUATION DE FAMILLE
En couple, ils élèvent un petit. Chaque famille vit au sein d'une colonie de centaines, voire de milliers de manchots.

MENU
Des crustacés et du poisson frais.

HOBBY
Faire de la luge sur le ventre.

REPRODUCTION
Fécondation interne. Le mâle monte sur le dos de la femelle et leurs cloaques se touchent. Elle pond un gros œuf qu'elle doit passer délicatement au mâle.

Le tamanoir

Ce gros velu au pelage hirsute est un véritable aspirateur à fourmis ! Un régime idéal quand on se promène avec un « nez » pareil et qu'on n'a pas de dents !

Le tamanoir semble avoir été conçu pour faire le ménage : sa queue touffue ressemble à un énorme plumeau à poussière ! Et l'espèce de tube qui lui sert de museau ferait un magnifique manche d'aspirateur ! Bien sûr, en réalité, il ne s'intéresse qu'aux insectes dont il se nourrit. La tête baissée, ce grand poilu arpente lentement son territoire, le jour ou la nuit, le nez constamment dirigé vers le sol. Son appendice est si long qu'il traîne dans l'herbe sans que l'animal ait besoin de se plier ! Grâce à son puissant odorat, il repère ainsi les fourmilières et termitières qu'il éventre avec ses pattes griffues. Il ne lui reste plus qu'à fourrer son long museau dans la brèche. Sa langue, très musclée, y fait des allers-retours à grande vitesse ! Enduite de salive gluante et couverte d'épines qui embrochent les insectes, elle en rapporte plus d'une centaine à la minute ! Comme il n'a pas la moindre dent pour mastiquer, les termites et les fourmis sont broyées contre son palais quand il rétracte sa langue. Mais il part bien avant d'avoir décimé le nid. Car il préfère laisser à ses savoureux habitants le temps de reconstituer leurs effectifs, au lieu d'épuiser le filon en un seul repas. Il doit donc visiter des dizaines de fourmilières ou de termitières par jour pour se caler l'estomac ! D'où sa ronde perpétuelle, le « nez » à terre !

NOM SAVANT
Myrmecophaga tridactyla.

SURNOM
Tamanoir ou grand fourmilier.

ADRESSE
À l'abri d'un buisson, dans les forêts tropicales et les grandes plaines arides d'Amérique centrale et d'Amérique du Sud.

TAILLE
Jusqu'à 3 m de long.

CATÉGORIES
Vertébrés, mammifères, xénarthres (comme le tatou et le paresseux).

SIGNE DISTINCTIF
C'est un « aspirateur » à fourmis.

SITUATION DE FAMILLE
Solitaire (sauf au moment de l'accouplement).

MENU
Fourmis et termites.

HOBBY
Arpenter son territoire jour et nuit.

REPRODUCTION
Fécondation interne par accouplement. La femelle porte le petit dans son ventre et l'allaite, comme chez les humains.

BLOC-NOTES

● Ma langue tubulaire de 60 cm est franchement dégoûtante : quand je la tire, on dirait un vers de terre qui pendouille !

● Mes griffes recourbées, longues de 10 cm, m'empêchent de prendre appui sur la paume de mes pattes avant. Je marche donc sur les poignets, de manière un peu chaloupée...

● Mon long museau me procure un odorat très développé : je suis un grand « nez » !

● Ma queue touffue se rabat sur ma tête et mon corps, comme une couverture de camouflage, lorsque je me repose à l'ombre d'un buisson.

LA CLASSIFICATION DES ESPÈCES

Des millions d'animaux différents !

Sur Terre, il existe différents règnes : par exemple celui des plantes, celui des champignons, et bien sûr celui des animaux. Les scientifiques connaissent 1,5 million d'animaux différents ! Mais on en découvre de nouveaux chaque année. Et il y en a certainement des millions qu'on ne connaît pas encore ! Pour éviter de les confondre, il fallait donner un nom précis à chacun : le nom d'espèce. Et, pour tenir compte de leurs ressemblances et différences, on les a classés par groupes : les embranchements. À l'intérieur, on a pu faire des sous-groupes : les classes. À l'intérieur desquels on a pu faire d'autres groupes : les ordres. Et ainsi de suite !

Les vertébrés et les autres

D'abord, il y a les animaux qui ont une colonne vertébrale comme les lions, les éléphants ou les baleines. Ils sont très différents de ceux qui n'en ont pas, comme les pieuvres ou les araignés. On a donc inventé l'**embranchement** des vertébrés pour les premiers. Et pour les seconds, invertébrés, on a inventé différents autres **embranchements** : mollusques, arthropodes, etc.

Différentes « classes »

Continuons seulement avec les animaux de l'embranchement des vertébrés. Il y a par exemple des animaux à sang chaud qui allaitent leur petit (comme la lionne). Ils sont très différents des animaux à sang froid qui, en général, pondent des œufs (comme le serpent). On a donc créé la **classe** des mammifères pour les premiers, et la **classe** des reptiles pour les seconds. (Il y a d'autres classes chez les vertébrés et chez les invertébrés).

Différents « ordres »

Continuons seulement avec les animaux de la classe des mammifères. Il y a par exemple des animaux à grandes dents pour mordre et couper, dont la plupart se nourrissent de viande (comme le lion). Ils sont très différents des animaux aux dents faites pour ronger (comme la souris). On a donc inventé l'**ordre** des carnivores pour les premiers et l'**ordre** des rongeurs pour les seconds. (Il existe bien sûr beaucoup d'autres ordres.)

Différentes « familles »

Continuons seulement avec les animaux de l'ordre des carnivores. Il y a par exemple des animaux comme les chiens, les loups, etc. Ils sont très différents des animaux comme les chats, les panthères, etc. On a donc inventé la **famille** des canidés pour les premiers, et la **famille** des félidés pour les seconds. (Il existe bien sûr beaucoup d'autres familles.)

Différents « genres »...

Continuons seulement avec les animaux de la famille des félidés. Il y a par exemple des animaux comme le chat forestier, le chat marbré, etc. Ils sont très différents du tigre, de la panthère, etc. On a donc inventé le **genre** *felis* pour les premiers et le genre *panthera* pour les seconds. (Les noms de genre sont en latin et il en existe bien sûr beaucoup d'autres).

...Et enfin les « espèces » !

Continuons seulement avec les animaux du genre *panthera*. Il y par exemple l'animal qui a des rayures. Il est différent de celui qui a une crinière. On a donc complété leurs noms de genre pour en faire des noms d'**espèces** : *panthera tigris* pour le premier, et *panthera leo* pour le second. On les surnomme souvent le tigre et le lion. Mais seuls leurs noms en latin permettent de savoir qu'ils sont de si proches « cousins » !

Définir un animal

Pour définir un animal, en sachant immédiatement à quels autres il ressemble, les scientifiques donnent à la suite : son **embranchement**, sa **classe**, son **ordre**, sa **famille**, son **genre**, son **espèce**. Par exemple : vertébrés, mammifères, carnivores, félidés, *panthera*, *panthera pardus*… que tout le monde appelle simplement : panthère !

Dans ce livre...

Lorsqu'on parle d'une **espèce** précise, son nom latin apparaît à la ligne « nom savant » dans la fiche d'identité. La photo correspond à cette espèce (sauf dans quelques cas où il s'agit d'une espèce très proche). Mais, parfois, on parle d'un groupe d'animaux en général (on donne alors le genre, ou la famille, etc.).

Lorsqu'ils ne sont pas trop compliqués, l'**embranchement**, la **classe** et l'**ordre** sont indiqués à la suite à la ligne « catégorie ». Les noms difficiles de **famille** et de **genre** sont rarement indiqués. Mais on donne parfois entre parenthèses un sous-embranchement, un sous-ordre, etc.

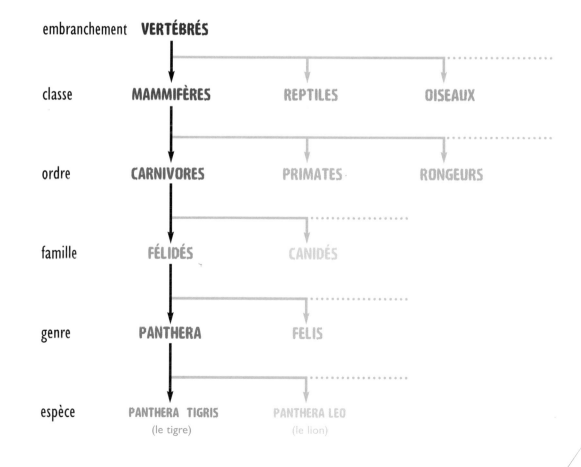

embranchement	**VERTÉBRÉS**		
classe	**MAMMIFÈRES**	REPTILES	OISEAUX
ordre	**CARNIVORES**	PRIMATES	RONGEURS
famille	**FÉLIDÉS**	CANIDÉS	
genre	**PANTHERA**	FELIS	
espèce	**PANTHERA TIGRIS** (le tigre)	PANTHERA LEO (le lion)	

DICTIONNAIRE

Amphibiens (classe) : animaux **vertébrés** qui passent une partie de leur vie dans l'eau et l'autre partie sur terre. En général, les petits (des têtards) grandissent dans l'eau où ils respirent avec des **branchies**. Puis ils les perdent, des poumons leur poussent, et ils se transforment en adultes qui respirent de l'air. Par exemple : les grenouilles, les crapauds, les salamandres, les tritons, etc.

Anoures (ordre) : animaux **amphibiens** dont la queue disparaît à l'âge adulte et dont les pattes arrière sont adaptées au saut. Ce sont donc seulement les grenouilles et les crapauds.

Arachnides (classe) : animaux **arthropodes** qui vivent sur terre, qui ont le corps divisé en deux parties, et qui ont quatre paires de pattes (alors que les **insectes** en ont trois !). Par exemple : les scorpions, les araignées, etc.

Aranéides (ordre) : animaux **arachnides** qui peuvent fabriquer de la soie, c'est-à-dire seulement les différentes espèces d'araignées.

Arthropodes (embranchement) : animaux **invertébrés** dont le corps mou, formé de parties articulées, est recouvert de parties très dures. Par exemple : les **insectes**, les crustacés (la crevette, etc.), les **arachnides** (araignées, scorpions…), etc.

Branchies : ce sont les organes que la plupart des animaux aquatiques utilisent pour respirer. Elles permettent d'extraire l'oxygène dissout dans l'eau. Par exemple, chez les poissons, elles sont sur les côtés de la tête, cachées en général par des opercules (sortes de couvercles) qui s'ouvrent et se ferment. L'eau entre par la bouche et ressort par les opercules en passant à travers les branchies.

Carnivores (ordre) : animaux **mammifères** dont les dents (notamment de grandes canines pointues) sont idéales pour manger de la viande. La plupart ne mangent que de la viande, d'ailleurs, comme le lion, le tigre, etc. Mais d'autres presque pas ! Par exemple, le panda est un carnivore, mais il ne mange quasiment que des pousses de bambous !

Céphalopodes (classe) : animaux, **mollusques**, dont la « tête » est directement reliée aux « pieds ». D'où leur nom : « céphalo » signifie « tête » et « pode » signifie « pied ». Par exemple : la seiche, la pieuvre, etc.

Chélicérates (sous-embranchement) : animaux **arthropodes** qui ont des sortes de pinces ou de crochets à l'avant de la tête, les chélicères. Par exemple : les araignées, les scorpions, le *Colossendeis colossa*, etc.

Chiroptères (ordre) : animaux **mammifères** capables de voler grâce à leurs ailes, même si ce ne sont pas des oiseaux. Par exemple : les différentes espèces de chauves-souris (mais pas l'écureuil « volant » ! En réalité, il ne fait que planer et c'est un **rongeur**).

Classe : catégorie de la classification des animaux (lire p.88). Par exemple : la classe des **mammifères**, la classe des **reptiles**, etc. Cela permet de séparer certains animaux à l'intérieur d'un **embranchement.**

Dendrobates (genre) : grenouilles dont la peau secrète un venin parfois hyper-toxique.

Échinodermes (embranchement) : animaux **invertébrés** et marins, couverts de plaques assez dures et qui ont souvent des épines. Par exemple : les oursins, les étoiles de mer, les concombres de mer, etc.

Embranchement : catégorie de la classification des animaux (lire p.88). Par exemple : l'embranchement des **vertébrés**, l'embranchement des **arthropodes**, etc. Il permet de séparer les animaux à l'intérieur du règne animal.

Espèce : nom précis, en latin, d'un animal dans la classification (lire p.89). Par exemple : *Panthera tigris* (le tigre), *Panthera leo* (le lion). Cela permet de distinguer les différents animaux d'un même **genre.**

Famille : catégorie de la classification des animaux (lire p.88). Par exemple : la famille des canidés, la famille des félidés, etc. Cela permet de séparer certains animaux d'un même **ordre.**

Fécondation : c'est la rencontre du sperme du mâle avec l'ovule de la femelle. La fécondation peut être interne ou externe, c'est-à-dire à l'intérieur ou à l'extérieur du corps de la femelle. Elle est interne chez la plupart des animaux terrestres, et externe chez la plupart des animaux aquatiques. Ceux-ci pondent des œufs sur lesquels le mâle vient déposer son sperme.

Gène : c'est une information dans les cellules d'un être vivant. Si une personne ou un animal a les yeux marron, c'est parce qu'il a dans ses cellules le gène des « yeux marron ».

Genre : catégorie de la classification des animaux (lire p.88). Par exemple : *Felis, Panthera,* etc. Cela permet de séparer certains animaux à l'intérieur d'une même **famille.**

Holothurides (classe) : animaux **échinodermes** de forme allongée et avec des ventouses. Par exemple : le concombre de mer.

Insectes (classe) : petits animaux **arthropodes** qui ont des antennes sur la tête, un corps en trois parties, et trois paires de pattes. Par exemple : la mante religieuse, le phasme, la phyllie, etc. (mais pas l'araignée ! Elle a quatre paires de pattes et c'est un **arachnide** !).

Invertébrés : animaux qui n'ont pas de colonne vertébrale. Ils sont répartis en plusieurs embranchements : **mollusques, arthropodes, échinodermes,** etc.

Lémurien (sous-ordre) : animaux **primates** qui ressemblent aux singes. Ils se déplacent souvent debout, par grands bonds. Leur tête blanche aux yeux cernés de noire leur donne parfois une allure un peu fantomatique… Par exemple : le maki catta.

Lézard : animaux reptiles, au corps allongé, avec une longue queue, une tête fine, des écailles, et, en général, quatre courtes pattes. Par exemple : le cnémidophore, le varan de Komodo, le gecko à queue plate, le diable épineux, le basilic vert, etc.

Mammifères (classe) : animaux, vertébrés, à sang chaud et température constante, qui respirent avec des poumons, et dont les femelles allaitent les petits avec leurs mamelles (d'où le nom « mammifère »). Par exemple : le lion, le mandrill, le kangourou, le dauphin, etc.

Mantodea (ordre) : **insectes** avec des ailes et des bras articulés qui se replient sur leurs proies. Par exemple : toutes les espèces de mantes, comme la mante religieuse, la mante-fleur, etc.

Marsupiaux (ordre) : animaux **mammifères** dont l'embryon commence à se développer dans l'utérus de la mère. Mais il ne termine son développement que dans la poche ventrale de celle-ci, là où se trouvent les mamelles. Par exemple : le kangourou, l'opossum, etc.

Mollusques (embranchement) : animaux **invertébrés** au corps mou, parfois protégé par une sorte de coquille. Par exemple : la seiche, la pieuvre, l'escargot, la moule, etc.

Mustélidés (famille) : animaux **carnivores** dont le corps est allongé et dont les pattes sont très courtes. Par exemple : la moufette, le ratel, le blaireau, le putois, etc.

Ordre : catégorie d'animaux selon la classification (lire p.88). Par exemple : l'ordre des **carnivores**, l'ordre des **rongeurs**, l'ordre des **primates**, etc. Cela permet de séparer certains animaux d'une même **classe**.

Ovipare : qui se reproduit en pondant des œufs.

Parthénogenèse : façon très spéciale de se reproduire, sans fécondation. L'ovule de la femelle n'a pas besoin du spermatozoïde du mâle pour se développer et donner naissance à un petit. Mais les petits sont des copies conformes de leur mère : ce sont des clones.

Patagium : large repli de peau qui forme les ailes des chauves-souris (ex. : le vampire) et le manteau en « parachute » des mammifères qui se contentent de planer (ex. : les écureuils volants).

Pédipalpes : sorte de paire de pattes, à l'avant du corps des araignées et d'autres **invertébrés**. Le mâle peut s'en servir pour transférer son sperme à la femelle et ainsi la féconder.

Phasmatodea (ordre) : **insectes** nocturnes qui ressemblent à des brindilles ou à des feuilles d'arbres, c'est-à-dire les phasmes et les phyllies.

Pleuronectiformes (ordre) : **poissons osseux**, plutôt larges et aplatis. Par exemple : tous les poissons plats comme le turbot, la sole, le carrelet, etc.

Poissons osseux (classe) : animaux **vertébrés** qui vivent dans l'eau et respirent avec des **branchies**. Leur squelette est dur, un peu comme des os. Par exemple : le poisson-pierre, le poisson-clown, etc. (mais pas le dauphin ! C'est un mammifère !).

Poissons cartilagineux (classe) : animaux **vertébrés** qui vivent dans l'eau et respirent avec des **branchies**. Leur squelette est fait de cartilage, c'est plus souple que les os. Par exemple : les requins, les raies, etc. (mais pas le dauphin ! C'est un mammifère !).

Primates (ordre) : animaux **mammifères** dont les mains peuvent attraper, qui ont une dentition complète (canines, incisives et molaires), et dont les petits naissent complètement développés (contrairement aux marsupiaux). Par exemple : tous les singes, les **lémuriens** et l'homme !

Pycnogonides (classe) : animaux **arthropodes** qui vivent dans l'eau et qui ressemblent à des araignées. Par exemple : le *Colossendeis colossa*.

Reptiles (classe) : animaux **vertébrés** ovipares à la peau plus ou moins couverte d'écailles et au « sang froid » (leur corps ne produit pas de chaleur interne). Par exemple : les serpents, les crocodiles, les **lézards**, les tortues, etc.

Rongeurs (ordre) : animaux **mammifères** dont les dents sont idéales pour ronger. Par exemple : les écureuils, les rats, les souris, etc.

Spongiaires (embranchement) : animaux les plus simples qui existent sur Terre. Ils vivent dans l'eau, accrochés à une paroi, et ne se déplacent pas. Par exemple : les éponges.

Urodèles (ordre) : animaux **amphibiens** au corps allongé. Par exemple : l'axolotl, la salamandre, etc.

Vertébrés (embranchement) : animaux qui ont une colonne vertébrale.

Vivipare : c'est ce que l'on dit des animaux dont les petits naissent déjà formés (et non dans un œuf). La plupart des **mammifères** sont vivipares, mais pas tous. Par exemple, l'ornithorynque est **ovipare** ! Par ailleurs, certains animaux, non mammifères, sont vivipares : par exemple, certains requins.

Xénarthres (ordre) : animaux **mammifères** dont la colonne vertébrale est renforcée. Par exemple : le tamanoir, le paresseux, le tatou.

Crédit photographique

N° d'édition : M05020
Photogravure : Penez Éditions
Imprimé en France par Pollina en avril 2005 - n° L96259